Golwg ar Orsedd y Beirdd

GERAINT BOWEN

GOLWG AR
ORSEDD Y BEIRDD

GWASG PRIFYSGOL CYMRU
1992

Mae cofnod catalogio'r llyfr hwn ar gael gan y Llyfrgell Brydeinig.

ISBN 0–7083–1134–2

Cynllun y clawr gan Design Principle, Caerdydd
Cysodwyd yng Nghymru gan Afal, Caerdydd
Argraffwyd yn Lloegr gan The Bath Press, Avon

Rhagair

Mae Gorsedd y Beirdd yn dathlu daucanmlwyddiant ei sefydlu eleni, 1992. Cymerodd y gymdeithas ran amlwg yn y frwydr dros ein hiaith, ein llenyddiaeth a'n diwylliant cenedlaethol yn ystod y ddwy ganrif. Gyda chymeradwyaeth Bwrdd yr Orsedd cyhoeddir y gyfrol ddarluniadol hon, ac fe'i cyflwynir yn deyrnged fechan i'r Gorseddogion hynny a fu'n ffyddlon yn y frwydr.

Prin y mae angen egluro pam y mae cyn lleied o'r lluniau yn ymwneud â'r cyfnod cynnar a'u bod yn amlhau o wythdegau'r bedwaredd ganrif ar bymtheg ymlaen. Cafwyd anhawster i ddod o hyd i luniau da, ond rhaid diolch i Lyfrgell Genedlaethol Cymru, Amgueddfa Werin Cymru, Llyfrgell Coleg y Brifysgol, Bangor, Archifdy Gwynedd, Kemper a Phencadlys Gorsedd Llydaw yn Brasparz a Peter Laws, Cofiadur Gorsedd Cernyw am ganiatáu i mi gyhoeddi'r lluniau a bwrcaswyd gennyf.

Diolchaf yn arbennig i Wasg y Brifysgol am ymgymryd â'r cyhoeddi, i Gyngor Llyfrau Cymru am gymhorthdal, ac i swyddogion y ddau gorff am help llaw gyda'r golygu a'r dylunio.

Dydd Gŵyl Ddewi   Geraint Bowen
1 Mawrth 1992

Cydnabyddiaethau

Cynhwysir y lluniau trwy ganiatâd caredig y sefydliadau isod:

Llyfrgell Genedlaethol Cymru (1, 2, 4, 5, 7, 8, 10, 11, 13, 15, 20, 29, 30, 32, 33, 36, 40, 41, 43, 46)

Amgueddfa Werin Cymru (3, 12, 14, 16, 21, 22, 23, 25, 26, 27, 28, 34, 35)

Swyddfa Addysg Clwyd (6, 9)

Archifdy Gwynedd (17, 24)

Amgueddfa Genedlaethol Cymru (18)

Western Mail (19, 38, 49, 50, 51, 52, 53)

Llyfrgell Rydd Caerdydd (31)

Gorsedd Cernyw (39, 45, 47)

Bwrdd yr Orsedd (48)

South Wales Argus (54)

Cynnwys

Y Sefydlu a'r Arloesi (1792–1834)

Mae Gorsedd y Beirdd neu, a rhoi i'r mudiad ei enw llawn, Gorsedd Beirdd Ynys Prydain, yn dathlu daucanmlwyddiant ei sefydlu ym 1992, canys ar 22 Mehefin 1792 y cynhaliwyd yr orsedd gyntaf ar Fryn y Briallu ar gyrrau Llundain.

Syniad Edward Williams *(Iolo Morganwg)*, saer maen, bardd ac ysgolhaig o Drefflemin, Bro Morgannwg, oedd sefydlu'r mudiad, a hynny er mwyn adfer y traddodiad barddol i'w hen ogoniant. Honnai ar un adeg ei fod ef yn perthyn i fudiad a elwid Brodoliaeth Beirdd Morgannwg, a phwysleisiai fod yn ei fro ef feirdd o hyd a oedd, yn wahanol i'r rhai a geid ym mröydd eraill Cymru, wedi etifeddu 'Cyfrinach y Beirdd' yn yr hen ffordd draddodiadol trwy iddi gael ei throsglwyddo i lawr o athro bardd i ddisgybl yn ddi-dor er amser y derwyddon, yn wir, o Oes Aur Dynolryw, a'i fod ef yn un o'r etifeddion breiniol hynny.

Yn ystod un o'i ymweliadau â Llundain ym 1791 fe ddarbwyllodd Iolo Morganwg rai o aelodau Cymdeithas y Gwyneddigion o ddilysrwydd ei honiadau ac o'r pwysigrwydd o sefydlu cymdeithas genedlaethol o wŷr llengar ac ymroddgar a fynnai ddiogelu'r etifeddiaeth, a'i galw Beirdd Ynys Prydain. Roedd 'Bardd' i Iolo, wrth gwrs, yn golygu rhywbeth amgenach na rhywun a brydyddai yn unig. Roedd hefyd yn berson bucheddol a chyfrifol, mawr ei ofal am dynged iaith a llenyddiaeth, diwylliant a moes y genedl.

Erbyn canol haf 1791 roeddynt eisoes wedi cytuno ar ddyddiad y cynulliad neu'r orsedd gyntaf, oherwydd tua'r amser yma y cyhoeddwyd rhybudd yn y gyfrol *Awdlau ar Destynau Cymdeithas y Gwyneddigion i'r Eisteddfodau* yn nodi dyddiad a lleoliad y cyfarfyddiad a'i bwrpas, sef urddo'n Feirdd y rhai a geisiai 'urddas a thrwyddedog-aeth wrth Gerdd a Barddoniaeth ym mraint Beirdd Ynys Prydain'. Yn y rhybudd enwir Iolo Morganwg, ac fe'i disgrifir fel yr unig un a oedd eisoes yn 'Fardd wrth fraint a defod Beirdd Ynys Prydain', sef, fel yr eglurodd yn ddiweddarach, un a wyddai 'Gyfrinach a Breiniau a Defodau Beirdd Ynys Prydain'. Ef yn unig, yn wahanol i'r gweddill a enwyd yn y rhybudd, a oedd yn y wir olyniaeth farddol, a chanddo ef yn unig, felly, roedd yr hawl i gyflwyno'r urddau. Ychwanegir y byddai yn gwneud hynny yn enw 'Beirdd Cyfoeth Morganwg, a Gwent, ac Ergyng, ac Euas, ac Ystrad Yw'.

1. Edward Williams (*Iolo Morganwg*; 1747–1826), sylfaenydd Gorsedd y Beirdd.

Weithiau yn unig y cawn iddo arfer y gair 'Cyfoeth' am 'Dalaith', ond y gair a ddefnyddiai gan amlaf yn ei drafodaethau ar y drefn farddol oedd 'Cadair'. Eglurodd fod i Feirdd Ynys Prydain gynt bedair Cadair – Gwynedd, Powys a Dyfed a Morgannwg – ac er mwyn pwysleisio rhagoriaeth hanesyddol Morgannwg a'i statws unigryw ef ei hunan honnai'n gyson mai Cadair Farddol Morgannwg yn unig oedd wedi goroesi i'w gyfnod ef.

Mae'n amlwg na chafodd Iolo Morganwg lawer o drafferth i gael cnewyllyn sylweddol o aelodau'r Gwyneddigion i dderbyn ei honiadau di-sail. Roedd hygrededd yn nodweddu'r oes ac anwybodaeth ynglŷn â gwir hanes y Cymry a'r traddodiad barddol ar y pryd yn rhoi rhwydd hynt i hynafiaethwyr Cymru, Lloegr ac Ewrob chwedleua a rhamantu am y gorffennol derwyddol a chynoesol. Nid oedd Iolo Morganwg yn eithriad yn hyn o beth. Plentyn ei gyfnod ydoedd.

Er y byddwn yn sôn am Feirdd Ynys Prydain fel mudiad neu gymdeithas neu urdd, rhaid egluro yn y cychwyn cyntaf nad oedd iddo na swyddogion parhaol na chyfansoddiad cenedlaethol am tua chanrif. Cynhelid gorseddau gan ddilyn y defodau a arferid gan Iolo Morganwg yn ei orseddau cynnar ac, yn unol â'i gyfarwyddyd, yn enw Cadair neu Dalaith arbennig gan amlaf, ac o leiaf dri pherson lleol a oedd eisoes wedi'u hurddo'n Feirdd yn llywyddu'r gweithgareddau.

Oherwydd diffyg cyd-drefnu cenedlaethol effeithiol, cafwyd peth ymrannu, ond yn y diwedd bu ffyddlondeb y Beirdd i weledigaeth Iolo Morganwg, eu teyrngarwch i'r traddodiad barddol, y boddhad a gaent o gael cydnabyddiaeth gwlad am eu campau barddol trwy gael eu hurddo ac, yn bennaf oll, yr ymdeimlad fod gan y gymdeithas farddol 'hynafol' hon rywbeth mwy nag y medrai cyfundrefn a chyfansoddiad ei gynnig, sef yr hyn a elwid gan Orseddogion y ganrif ddiwethaf yn 'awdurdod', yn ddigon o atgyfnerthiad iddi oroesi, er gwaethaf yr holl feirniadu. Edrychid ar Feirdd Ynys Prydain fel brawdoliaeth rydd o feirdd a ddaethai, trwy gael eu hurddo mewn gorsedd, i mewn i'r olyniaeth farddol oesol. Yn hyn o draethu sonnir am y gorseddau a gynhaliwyd gan y teyrngarwyr ymroddgar hyn, eu swyddogaeth mewn eisteddfodau lleol, taleithiol a chenedlaethol, a'u rhan yn neffroad diwylliannol ein cenedl ddifreintiedig.

Gwedd ddryslyd a fyddai i hanes Gorsedd y Beirdd pe baem yn ceisio ei adrodd gan anwybyddu'r ffaith mai'n daleithiol neu'n 'gadeiriol' y gweithredai'r mudiad yn y dechrau ac yn ystod cyfran helaeth o'r ganrif ddiwethaf. Gan mai yn enw Cadair Morgannwg y cynhaliwyd yr orsedd gyntaf, sef gorsedd Llundain, priodol felly yw agor yr hanes trwy sôn yn gyntaf am orseddau cynnar y Gadair honno yn Llundain ac ym Morgannwg ei hunan.

Cadair Morgannwg a Gwent

Fel y crybwyllwyd eisoes cynhaliwyd yr orsedd gyntaf ar Fryn y Briallu, Llundain, ar 22 Mehefin 1792. Nid oes disgrifiad manwl o ddefodau'r orsedd honno ar gael, ond dywedir am yr ail un a gynhaliwyd yr un flwyddyn fod cylch wedi'i ffurfio a bod maen wedi'i osod yn y canol a chleddyf wedi'i ddodi ar y maen hwnnw. Wedi i'r Beirdd ymgynnull wrth y maen, gweiniwyd y cleddyf ganddynt ac eglurodd y 'datgeiniad', sef llywydd y seremoni, Iolo Morganwg, na fyddai'r Beirdd yn arfer cario cleddyf noeth yng ngŵydd neb ac na fyddent yn caniatáu i neb gario un yn eu gŵydd hwythau ychwaith. Cerddi Saesneg a ddarllenwyd yn yr orsedd gyntaf, rhag gadael y Saeson, meddid, yn y tywyllwch o'r hyn a oedd yn mynd ymlaen, ac urddwyd o leiaf ddau yn Feirdd, sef William Owen (Pughe) *(Gwilym Owain)* a David Samwell

2. Walter Davies (*Gwallter Mechain;* 1761–1849).

(Dafydd Feddyg) ac un yn Ofydd, sef Edward Jones *(Bardd y Brenin)*.

Cynhaliwyd dwy seremoni orseddol arall yr un flwyddyn, y naill ar 22 Medi ar Fryn y Briallu a'r llall ar 21 Rhagfyr ar faes agored y tu cefn i'r Amgueddfa Brydeinig, ac o leiaf un ym 1793, a honno ar 22 Medi ar Fryn y Briallu. Llywyddwyd ym mhob un o'r rhain gan Iolo Morganwg ac urddwyd nifer yn cynnwys Gwallter Mechain, myfyriwr yn Rhydychen, Edward Charles *(Siamas Gwynedd)*, Ysgrifennydd Cymdeithas y Gwyneddigion ym 1796, John Jones, Glan-y-gors, Is-lywydd y Gymdeithas, Thomas Jones, Cofiadur y Gymdeithas, Daniel Dafydd ac Ann Seward, nofelydd Saesneg. Gwisgai'r aelodau ysnodenni lliw yn dynodi eu gwahanol urddau, 'insignia of their various orders'.

Er bod dau o feirdd Arfon, sef Dafydd Ddu Eryri a Hywel o Eryri, wedi'u gwahodd i'r orsedd gyntaf, ni ddaethant ar ei chyfyl am eu bod yn amau honiadau Iolo Morganwg ynglŷn â hynafiaeth y mudiad. Ond ymatebodd William Owen (Pughe) yn wahanol. Mynychodd y gorseddau, mynnodd gael ei urddo a chyhoeddodd yn ei gyfrol *Heroic Elegies of Llywarch Hen* (1793/4) beth wmbreth o honiadau Iolo Morganwg am Feirdd Ynys Prydain. Ychwanegodd Iolo Morganwg at y ffantasïau hefyd yn ei ddwy gyfrol o *Poems, Lyric and Pastoral* (1794), cyfrolau cyflwynedig i Dywysog Cymru a fu'n llygad-dyst o un o'i orseddau. Trwy ei syniadaeth gefnogol i'r Chwyldro Ffrengig, a fynegir yn y cyfrolau hyn, y daethpwyd i adnabod Iolo Morganwg fel 'Bard of Liberty'.

Yn gynnar yn y flwyddyn 1795 roedd Iolo Morganwg yn ôl ym Morgannwg yn hyderus ei fod wedi argyhoeddi arweinwyr cymdeithas lenyddol fwyaf dylanwadol ei gyfnod o ddilysrwydd ei honiadau a'i fod wedi gosod seiliau ei urdd farddol ar dir diogel. Cyhoeddodd yn syth ei fod yn bwriadu cynnal 'Cadair a Gorsedd wrth Fraint a Defod Beirdd Ynys Prydain o hyn allan ar Ben Bryn Owain (yn ymyl y Pont-faen) yn Morganwg', a chynhaliwyd y gyntaf ar 21 Mawrth (Alban Eilir).

Yn rhybudd neu sgrôl cyhoeddi'r gorseddau diweddaraf hyn dechreuodd nodi'r dyddiadau y byddai yn eu cynnal trwy ddefnyddio ymadroddion a fathodd ef ei hunan, sef Alban Eilir (21 Mawrth), Alban Hefin (21 Mehefin), Alban Elfed (21 Medi) ac Alban Arthan (21 Rhagfyr) i ddynodi'r pedwar chwarter. Cyfeiriodd hefyd at y drychiolaethau o brifeirdd (*primitive poets*) neu'r 'cyntefigion Beirdd Ynys Prydain', nid amgen, Plennydd, Alawn a Gwron, sylfaenwyr dysg y Beirdd (yn ôl Iolo Morganwg), y drindod a fyddai'n symbylu'r Awen yn ymwybod y Beirdd a ddeuai i'r cylch.

Ymysg y beirdd a wahoddwyd i orsedd gyntaf y Fro roedd Edward Evan (*Iorwerth Gwynfardd Morganwg*) o Aberdâr, Edward Williams (*Gwilym Fardd Glas*) o Ferthyr a'r Bont-faen, William Moses (*Gwilym Glan Taf*) o Ferthyr a Thomas Evans (*Tomos Glyn Cothi*). Yn yr orsedd hon eglurodd Iolo Morganwg beth oedd pwrpas Beirdd Ynys Prydain, sef adfer cerdd dafod, y cyfrwng, meddai, a ddiogelodd y Gymraeg rhag llygru, a hyrwyddo'r mesurau rhydd i hyfforddi'r werin.

Yn y blynyddoedd 1795 a 1796 cynhaliwyd gorseddau ar Fryn Owain, ym 1797 ar Fynydd y Garth (Llanilltud Faerdref) a Mynydd y Fforest (Y Bont-faen) ac ym 1798 yng Nglynogwr a Mynydd y Garth. Yng Ngorsedd Mynydd y Garth ym 1797 darllenodd Iolo 'Cân Newydd, yn adrodd helynt Gwybodaeth grefyddol ymhlith y Cymry. Y modd y cedwid Gwybodaeth ar gof yn yr hen amseroedd. A hefyd Dyletswydd Bardd, a'r Cyneddfau a ofynnid arno gynt'. Yn yr un orsedd darllenodd Tomos Glyn Cothi 'Cywydd ar Wybodaeth'. Anerchodd

Iolo Morganwg y Beirdd hefyd gan ddweud mai 'Trefn Beirdd Cadair Morganwg y sydd fel hyn yn un peth canu a dangos o flaen cadair rai Cywyddau, Englynion ac awdlau, yn ôl yr hen Gelfyddyd fal y peth mwyaf effeithiol i gynnal yr iaith Gymraeg, yn hyn o bethau rhaid yw gwybod y rheolau yn benigamp . . . a dyfod ac ambell un i'r wybodaeth ohoni yw un o brif amcanion y gadair y dydd heddyw'.

Ym 1797 dechreuodd yr awdurdodau amau ei weithgareddau gorseddol oherwydd roedd si ar led fod Iolo Morganwg yn wrthfrenhinol ac yn gefnogol i'r Chwyldro yn Ffrainc. Ymysg y gwylwyr yn un o'r gorseddau roedd deuddeg ynad heddwch a'r *Cowbridge Volunteers*. Yn ôl Iolo Morganwg, cafodd ei rybuddio ganddynt y byddent yn ymweld â'i gartref yn Nhrefflemin a mynd trwy ei bapurau. Yn yr orsedd yng Nglynogwr ar 21 Mawrth 1798 adroddodd Iolo Morganwg ei gerdd 'Breiniau Dyn' sy'n ymosod ar y frenhiniaeth a'r offeiriadaeth. Ar gyfer gorsedd Mynydd y Garth ar 21 Mehefin 1798 gofynnwyd i'r Beirdd gyfansoddi cerddi ar un o naw o destunau, i gyd yn grefyddol a moesol. Gosodwyd un o'r testunau ar gais 'Eglwysi Dwyfundodwyr Deheubarth' a oedd yn brin o emynau addas ar y pryd. Fe wyddai Iolo Morganwg, ac yntau'n undodwr ac yn ei dro yn ddiweddarach yn llywydd gweithgareddau'r enwad, gystal â neb am y prinder hwn. Dyna pam yr aeth ati ym 1812 i gyhoeddi ei gyfrol *Salmau yr Eglwys yn yr Anialwch*. Ac ar ddalen-deitl y gyfrol honno y gwelwyd yn argraffedig am y tro cyntaf y Nod Cyfrin y byddid yn ei weld yn ddiweddarach yn arwyddnod ar sgroliau cyhoeddi gorseddau Beirdd Ynys Prydain.

Wedi bygythiad yr ynadon a'r *Cowbridge Volunteers* barnwyd ym 1798 mai doeth fyddai ymgadw rhag cynnal gorseddau, a hyd y gwyddys ni chafwyd unrhyw gynulliad gorseddol ym Morgannwg am o leiaf bymtheng mlynedd. Erbyn mis Mawrth 1814 roedd hi'n heddwch yn Ffrainc a gyrrwyd Napoléon i alltudiaeth a phenderfynodd Iolo Morganwg fod yr amser wedi dod i ailgynnull y Beirdd. Danfonodd rybudd ym mis Gorffennaf i *Seren Gomer* yn hysbysu'r Beirdd fod gorsedd i'w chynnal ar 'Donn Coed Penmain, amgylch y Maen Chwŷf ym Mhont-y-pridd' ar 1 Awst, gan gyhoeddi testun i'r Beirdd ganu arno, sef 'Adferiad Heddwch' a nodi'r man ymgynnull, sef 'Tŷ Thomas Williams, dan arwydd Arfau'r Maensaer' neu'r New Inn. Urddwyd Thomas Williams *(Gwilym Morganwg)*, sef ceidwad y dafarn a enwyd, ac Evan Cule gan Iolo Morganwg yn yr orsedd hon.

Cynhaliwyd 'Cadair ac Eisteddfod herwydd yr Hen Ddefodau' neu orsedd arall yn yr union fan ar 21 Rhagfyr yr un flwyddyn wedi i hysbysiad ymddangos yn *Seren Gomer* (12:11:1814) yn enw Gwilym Morganwg yn gwahodd Beirdd a Phrydyddion y Dywysogaeth i gyd iddi. Rhoddwyd dewis o naw testun i'r Beirdd ganu arnynt, testunau bucheddol gan mwyaf, ond ceir un ar 'Rhagoroldeb y Gymraeg' a'r llall

DRUIDICAL REMAINS, PONT-Y-PRIDD - 14525 J.K.

3. Gorsedd y Maen Chwŷf, Pontypridd lle y cynhaliai Iolo Morganwg, Gwilym Morganwg, Taliesin ab Iolo a Myfyr Morganwg eu gorseddau.

ar 'Y Maen Chwŷf'. Yn yr orsedd hon yr urddwyd mab Iolo Morganwg, sef Taliesin Williams _(Taliesin ab Iolo)._ Fe ddichon bod yr wybodaeth sydd ar gael am y gorseddau a gynhaliwyd ar y Maen Chwŷf yn fylchog, ond mae gennym dystiolaeth bod dwy orsedd o leiaf wedi'u cynnal yno ar y dyddiadau canlynol: Alban Eilir, 1815 ac Alban Arthan, 1817. Arferai'r Beirdd gyfarfod yn achlysurol yn nhafarn Gwilym Morganwg, a daethpwyd i alw'r cynulliad wrth yr enw Cyfarfod Gwilym Morganwg neu Gymdeithas y Maen Chwŷf, ond nid yw'n ymddangos y byddent yn neilltuo i'r Maen Chwŷf i gynnal gorsedd bob tro. Ym 1820 bu W. J. Rees, Cas-cob, ysgrifennydd mudiad yr Eisteddfodau Taleithiol, ar daith trwy Forgannwg yn ceisio ennyn diddordeb gwŷr bonheddig y sir mewn cynnal eisteddfod debyg i'r rhai a gynhaliwyd eisoes yng Nghaerfyrddin ym 1819, yn Wrecsam ym 1820 ac yng Nghaernarfon ym 1821. Nid yw'n ymddangos iddo lwyddo. Bu'n fwy ffodus yng Ngwent. Darbwyllwyd Syr Charles Morgan, Tredegyr, pendefig o linach Ifor Hael, a aeth yn unswydd i Eisteddfod Caernarfon 1821 i roi gwybod i'r wlad ei bod hi'n fwriad ganddo gychwyn ymgyrch i sefydlu Cymdeithas Cymreigyddion yng Ngwent a chynnal eisteddfod. Yn Aberhonddu cyfarfu pwyllgor yr eisteddfod ac

7

yno y cynhaliwyd yr eisteddfod ar 25 Medi 1822. Beirniaid y farddoniaeth a ddewiswyd oedd Iolo Morganwg, Gwallter Mechain a John Hughes, awdur *Horae Britannicae*. Beirniad y rhyddiaith oedd y Parch H. T. Payne, Ficer Llanbedr Ystrad Yw a'r gŵr y gwasanaethai Thomas Price *(Carnhuanawc)* yn gurad iddo. Nid oedd Carnhuanawc ei hunan yn aelod o'r pwyllgor, eithr gwelir ei enw ymhlith y noddwyr, ac fe gymerodd ran bwysig yn yr eisteddfod ei hunan. Ef oedd prif siaradwr y cyfarfod agoriadol lle y traethodd yn huawdl ar draddodiad barddol Cymru. Enillwyd Cadair Eisteddfod Gwent gan Cawrdaf am awdl ar y testun 'Ar y Rhaglawiaeth'. Er na welwyd cofnod bod gorsedd wedi'i chynnal yn dilyn yr eisteddfod, mae ar gael gopi o dystysgrif urddo Cawrdaf yn 'Athraw Cadeiriog' yng ngorsedd 'Cadair Morganwg a Gwent', 27 Medi 1822, gan Gwallter Mechain, Iolo Morganwg, Robert Nantglyn a Dewi Silin, a gwyddys bod Gwilym Ddu Glan Cynon hefyd wedi'i urddo yn yr un orsedd.

Dewisach oedd gan Charles Morgan gynnal yr eisteddfod hon yn hen dref wledig, eglwysig a cheidwadol Aberhonddu yn hytrach na, dyweder, ym Merthyr Tudful, tref newydd ddiwydiannol, anghyd-ffurfiol a radicalaidd. Dewisodd ei chynnal mewn tref ac ardal farddonol dlawd. Nid tref ac ardal felly oedd Merthyr. Roedd yno erbyn yr ugeiniau cynnar gymdeithasau llenyddol niferus yn cyfarfod yn y tafarnau, megis Cymdeithas Llenyddion Merthyr, Cymrodorion Merthyr a Chymdeithas Cadair Merthyr, ac yn y dref hon y cynhaliai Taliesin ab Iolo ei ysgol. Y flwyddyn y cynhaliwyd Eisteddfod Aberhonddu cyhoeddodd ab Iolo y gyfrol *Awen Merthyr Tydfil* ac yn ddiweddarach *Awenyddion Morganwg*. Ym 1824 ymddangosodd cyfrol arall o weithiau beirdd yr ardal, sef *Llais Awen Gwent a Morganwg*, ac y mae'r tair cyfrol yn rhoi syniad teg i ni o'r berw llenyddol a gafwyd ym Merthyr a'r cylch yn ystod y cyfnod yma. Cynhelid cylchwyliau neu eisteddfodau yn y tafarnau, ac yn Nhafarn y Fotas un noson cafwyd anerchiad gan Carnhuanawc ar gyfieithu'r Beibl i Lydaweg ar gyfer y Llydawyr a oedd, meddai, 'yng nghaddug Pabyddiaeth'. Cawn i Carnhuanawc hefyd gynnal gwasanaethau i'r beirdd yn yr eglwys leol yn ystod o leiaf ddwy eisteddfod.

Roedd rhyw bump o aelodau Cymdeithas Cadair Merthyr wedi'u hurddo'n Feirdd gan Iolo Morganwg, a diwedd Rhagfyr 1825 cynhaliwyd gorsedd ar Dwynyrodyn yn ymyl Merthyr. Ar gais ei fab roedd Iolo Morganwg wedi darparu sgrôl cyhoeddi'r orsedd ac fe'i darllenwyd yn y dafarn. Roedd hefyd wedi rhoi manylion i'w fab ynghylch y 'ddefod gysefin' orseddol a oedd wedi'i chadw gan Feirdd Cadair Morgannwg 'o oes i oes'. Taliesin ei hunan a lywyddai'r orsedd, ac oherwydd mai un yn unig a ddangosodd ei fod yn gwybod y mesurau a sut i gyfansoddi ynddynt, un yn unig a urddwyd.

Ond nid oedd y diwydrwydd llenyddol yma yn mennu dim ar

dueddfryd cynheiliaid Eisteddfod Daleithiol Gwent, a Carnhuanawc yn eu plith. Pan ddaeth hi'n dro Gwent i gynnal yr eisteddfod ym 1826, dewiswyd ei chynnal yr ail waith yn Aberhonddu. Yn y cyfarfod agoriadol, wedi i'r llywydd, yr Arglwydd Rodney, draddodi ei anerchiad, cyflwynodd Carnhuanawc fardd gwlad o Lanfrynach, sef Moses Evans (*Glanmehesgyn*) i'r gynulleidfa yn dystiolaeth o barhad y traddodiad barddol yn Nyffryn Wysg, a dewiswyd Gwilym Morganwg, o Gymdeithas y Maen Chwŷf, Pontypridd, brodor, mae'n wir, o Landdeti, plwyf arall yn Nyffryn Wysg, ond disgybl barddol i Iolo Morganwg, i gyfarch yr eisteddfodwyr. Y bardd buddugol yng nghystadleuaeth yr awdl oedd Peter Jones o Lerpwl. Y beirniaid oedd William Owen (Pughe) a Robert Nantglyn. Trannoeth yr eisteddfod cynhaliwyd gorsedd yng ngofal y Gorseddogion William Owen (Pughe), Robert Nantglyn, Gwilym Morganwg, Taliesin ab Iolo ac Aneurin ab Gwilym. Roedd Iolo Morganwg yn orweiddiog yn Nhrefflemin ar y pryd. Yn yr orsedd hon yr urddwyd John Blackwell (*Alun*) a thri myfyriwr o Goleg Iesu, Rhydychen.

Ar 18 Rhagfyr 1826 bu farw Iolo Morganwg, a ddisgrifir mewn cywydd gan ei ddisgybl, Gwilym Morganwg, fel 'llywydd y beirdd', 'y prifardd', 'y prif bencerdd', 'y pen noddwr' a'r 'pen athraw'.

Cesglir oddi wrth restr is-lywyddion Eisteddfod Caerdydd 1834 fod yr eisteddfod honno yn cael ei threfnu ar y cyd rhwng noddwyr eisteddfodau Gwent a Dyfed. Dechreuwyd yr ymgyrch i'w chynnal ym 1833, a ffurfiwyd 'Cyfeisteddfod Cynnorthwyol ... er cyd-weithredu â Chyfeisteddfodwyr Caerdydd' gan Taliesin ab Iolo ym Merthyr. Cyhoeddodd Taliesin sgrôl gorseddol yn y *Merthyr Guardian* ym mis Medi 1833 yn hysbysu'r wlad fod 'Eisteddfod a Gorsedd' i'w chynnal yn nhref Caerdydd ym 1834. Uwchben y sgrôl argraffedig dodwyd y Nod Cyfrin, a dyna'r tro cyntaf i'r arwydd ymddangos ar gwr uchaf yr hysbysiad gorseddol. Mae'n amlwg oddi wrth hyn fod Taliesin, bellach, wedi ymgyfarwyddo â chynnwys llawysgrifau ei dad, Iolo Morganwg. Gweithredai Taliesin hefyd ar bwyllgor gweithredol yr eisteddfod lle'r awgrymodd pa 'insignia' a ddylai ymddangos ar fedalau'r eisteddfod, megis 'Coelbren y Beirdd', 'Sgrôl Cyhoeddi' a 'Meini Cylch yr Orsedd'. Ef a agorodd yr eisteddfod ar dir y castell â'r 'defodau arferedig' gorseddol. Ef hefyd a gipiodd y Gadair, 'the Bardic Chair of Siluria', am awdl ar y testun 'Derwyddon Ynys Prydain', camp a sicrhaodd iddo ei hawl ddiamheuol i'r olyniaeth orseddol. Llywydd yr eisteddfod oedd yr Arglwydd Bute, ac fe'i noddwyd gan Dduges Caint a'r Dywysoges Victoria.

Roedd nifer o Orseddogion pwysig yn bresennol yn yr eisteddfod, yn cynnwys Daniel Ddu o Geredigion, Gwallter Mechain, Aneurin ab Owain, Robert Nantglyn, Gwilym Morganwg, Gwilym Ddu Glan Cynon, Ioan Tegid, Gwilym Padarn, Clwydfardd, Cawrdaf, Rhydderch

Gwynedd, ac Evan Cule, digon i gynnal gorsedd deilwng, ond fe benderfynodd Taliesin beidio â'i chynnal drannoeth yr ŵyl, a'r esgus a roddodd oedd nad oedd undydd a blwyddyn wedi mynd heibio rhwng y cyhoeddi gorseddol a'r eisteddfod ei hunan. Penderfynodd yn hytrach ei chynnal ar y Maen Chwŷf, Pontypridd, ar 20 Medi.

Cyfarfu'r Beirdd wrth dafarn y New Inn a gorymdeithio dros y bont at Goed-pen-maen. Roedd y defodau yng ngofal Taliesin ab Iolo, Gwilym Morganwg a Gwilym Ddu Glan Cynon, Cludydd y Cledd. Gan ddal y cleddyf wrth ei lafn esgynnodd Taliesin i ben y Maen Chwŷf a chyhoeddi'r orsedd yn agored. Darllenodd nifer o 'Drioedd' Iolo Morganwg, a siarsiodd yr ymgeiswyr a ddymunai gael eu hurddo. Ofyddion yn unig a urddwyd. Y gyntaf oedd Gwenynen Gwent a fuasai'n fuddugol yn Eisteddfod Caerdydd. Ymysg y gweddill roedd Thomas Watkins *(Eiddil Ifor)*, William Davies *(Graweth)* a Thomas Bevan *(Ab Caradoc)*, Ysgrifennydd Cymreigyddion y Fenni.

Cadair Gwynedd

Ym 1798, pryd roedd Iolo Morganwg yn ystyried rhoi'r gorau i gynnal gorseddau ym Morgannwg, penderfynodd Cymdeithas y Gwyneddigion o dan ei llywydd ar y pryd, David Samwell *(Dafydd Feddyg)*, gynnal ar draul y Gymdeithas ei hunan eisteddfod yng Ngwynedd – yng Nghaerwys, sir y Fflint 'yn nyddiau Sulgwyn 1798'. Yn sgil yr hysbysiad hwn cafwyd un arall yn cyhoeddi bod gorsedd i'w chynnal yno hefyd yr un pryd, ac yn gwahodd y rhai a geisiai urddau i ddod iddi 'where there will not be a naked weapon against them', medd yr unig gopi, a hwnnw yn gopi Saesneg, a welwyd o'r cyhoeddi. Yn enw 'the Chair of North Wales' roedd hi i'w chynnal, ac mae'n ymddangos mai Dafydd Feddyg oedd i lywyddu ynddi. Yn null Iolo Morganwg, gosodwyd tasg i'r beirdd, sef cyfieithu 'The Bard', Thomas Gray, i'r Gymraeg, ond yn wahanol i'r arfer gorseddol, cynigiwyd gwobr ariannol hefyd. Roedd y Gwyneddigion hefyd wedi cynllunio cynnal gorseddau yr un adeg yn Llundain a hyd yn oed ym Morgannwg heb ymgynghori, hyd y gwyddys, â Iolo Morganwg. Cythruddwyd Iolo'n arw a gwrthododd gydweithio.

Ychydig cyn Eisteddfod Caerwys a'r orsedd arfaethedig, galwyd ar Dafydd Feddyg i ofalu am y carcharorion rhyfel yn Fontainebleau. Ymadawodd am Baris a bu allan o'r wlad tan fis Medi. Cynhaliwyd Eisteddfod Caerwys, ond ni chafwyd cynulliad gorseddol yno. Bu Dafydd Feddyg farw ddeufis yn ddiweddarach.

Ym 1799 roedd Iolo Morganwg ar daith yng Ngwynedd yn casglu defnyddiau ar gyfer y *Myvyrian Archaiology,* a chyfarfu â Dafydd Ddu Eryri, Bardd Cadeiriog Gwynedd a wrthododd wahoddiad i'w urddo yng ngorsedd gyntaf Llundain. Mae'n amlwg i Iolo lwyddo yn ystod ei ymweliad ag Arfon i'w ddarbwyllo i dderbyn ei urddo, oherwydd trefnwyd cynulliad gorseddol dirgel ar ben Bryn Dinorwig ym mhlwyf Llanddeiniolen ar 16 Hydref 1799 'lle yr aelodwyd ac y graddiwyd Ieuan Lleyn, Gutyn Peris a Dafydd Ddu yn feirdd Cadair Gwynedd' gan Iolo. Dyma achlysur darllen cywydd dau gan llinell 'Gorymbil am Heddwch' Iolo Morganwg. Ym 1800 aeth Dafydd Ddu Eryri ei hunan ati i gynnal gorsedd, 'Eisteddfod yn ol trefn a defod Beirdd Ynys Prydain' ar Fryn Dinorwig ar 'awr anterth' ddydd Mawrth y Sulgwyn, a chesglir bod Siôn Lleyn a Hywel o Eryri wedi'u gwahodd yno i'w hurddo gan Dafydd Ddu. Ni bu unrhyw orsedd arall yn Arfon am ugain mlynedd wedi'r orsedd honno.

Roedd Dafydd Ddu Eryri wedi agor ei lygaid i'r caswir am honiadau Iolo a'i grediniaeth grefyddol ac wedi digio wrth haerllugrwydd y Gwyneddigion a fynnai ymyrryd yn nhraddodiadau barddol Gwynedd. Cynhaliai beirdd Gwynedd eu heisteddfodau eu hunain heb nawdd y Gwyneddigion, megis yn Llanddeiniolen ar 12 Tachwedd 1802, a Thremadog ar 17 Medi 1811, ac roedd ganddynt eu cymdeithasau barddol eu hunain hefyd, megis Cymdeithas Cymreigyddion Bangor a sefydlwyd ym 1810 a Chymdeithas yr Eryron ym Metws Garmon i ddechrau ac yna ym 1813 yn y Bontnewydd, y cyfan o dan lywyddiaeth Dafydd Ddu Eryri, yr 'hael athro' beirdd.

Cychwynnwyd mudiad yr Eisteddfodau Taleithiol ym 1818 a bu'r arloeswyr wrthi yn ceisio sefydlu cymdeithasau ymhob talaith er mwyn cynnal eisteddfodau mawreddog yn olynol ynddynt, a bu'n rhaid iddynt yn syth ymgodymu ag arwahanrwydd beirdd Gwynedd a symud yn ofalus rhag tramgwyddo Dafydd Ddu Eryri.

Yng Nghaerfyrddin y cyfarfu pwyllgor cyntaf y mudiad. Ynddo ffurfiwyd Cymdeithas Cymreigyddion Dyfed a phenderfynwyd cynnal eisteddfod yng Nghaerfyrddin ym 1819, a chyhoeddodd Iolo fod gorsedd i'w chynnal yno hefyd. Cysylltodd Dewi Brefi, ysgrifennydd yr eisteddfod, â Dafydd Ddu i holi ynglŷn â threfn arferol eisteddfod ac i'w hysbysu bod Cymdeithas Cymreigyddion Dyfed yn dymuno rhoi cydnabyddiaeth o £10 iddo am ei gyfraniad i lenyddiaeth ei wlad.

Aeth cymdeithas newydd o'r enw Cymdeithas Cymmrodorion Powys, a gyfarfu am y tro cyntaf ar 6 Hydref 1819, yn gyfrifol am eisteddfodau ym Mhowys, a chynhaliwyd y gyntaf yn Wrecsam ar 13–14 Medi 1820. Cymdeithas y Cymmrodorion oedd yr enw a fabwysiadwyd yng Ngwynedd hefyd. Cynhaliwyd y cyfarfod cyntaf ar 16 Rhagfyr 1820, a phenderfynwyd, wedi sicrhau nawdd y bendefigaeth, gynnal eisteddfod yng Nghaernarfon ar 12 Medi 1821. Mae drafft o sgrôl ar gael yn cyhoeddi bod gorsedd i'w chynnal yno hefyd a bod y seremoni yng ngofal Dafydd Ddu Eryri, Gutyn Peris, Robert Nantglyn a Robert Jones, 'a hwynt oll yn Brifeirdd a thrwyddedogion wrth Fraint a Defod Beirdd Ynys Prydain', y ddau olaf a nodwyd wedi'u hurddo yng ngorsedd Caerfyrddin. Un o reolau Eisteddfod Caernarfon oedd na chaniateid i neb a fuasai'n fuddugol yn Eisteddfod Caerfyrddin 1819 ac Eisteddfod Wrecsam 1820 gystadlu. Gwnaed eithriad o'r gystadleuaeth a osodwyd gan Gymdeithas y Gwyneddigion, Llundain.

Yn yr adroddiadau a ddanfonwyd i'r wasg gyfoes, nid oes sôn bod gorsedd wedi'i chynnal yng Nghaernarfon, ond y mae tystiolaeth ar gael sy'n awgrymu'n gryf i nifer o feirdd gael eu hurddo yno. Mae ar gael gopi o dystysgrif 'graddio W. E. Jones (Gwilym Cawrdaf) yn Fardd yn ôl braint a defawd Beirdd Ynys Prydain' yng Ngorsedd Caernarfon gan y 'Prif-Fardd' Dafydd Ddu Eryri a'r gorseddogion, Gutyn Peris, Robert Nantglyn a Joseph Jones, yr union feirdd y cyfeiriwyd atynt yn y sgrôl cyhoeddi, ac mae'r dystysgrif wedi'i harwyddo gan ddau ysgrifennydd yr eisteddfod, sef Joseph Goddard a John Jones. Dywedir mai yn yr eisteddfod hon yr urddwyd Caledfryn, a chyfeirir at orsedd Caernarfon 1821 mewn mwy nag un cylchgrawn megis yn *Bye-Gones*, 1885: 'the candidates for degrees … were admitted to the sacred circle of the Gorsedd only on condition that they approached it barefooted'. Beth bynnag, croeso digon oeraidd, meddir, a gafodd yr Eisteddfod Daleithiol gyntaf gan feirdd Arfon, a phan ddaeth tro Gwynedd i roi cartref i Eisteddfod Daleithiol 1825 roedd y bendefigaeth yn amharod i'w noddi, ac nis cynhaliwyd.

Cynhaliwyd eisteddfod yng Nghaernarfon ym 1824, ond y beirdd eu hunain yn enw Cymreigyddion Caernarfon a oedd yn gyfrifol am honno. Gelwid y panel beirniaid yn yr eisteddfod hon a gynhaliwyd yn y Crown Inn yn 'Gorsedd o Feirdd', ond fe wyddys nad oedd yr un ohonynt nag unrhyw un arall o'r beirdd eraill a oedd yn bresennol wedi'u hurddo yn un o orseddau Beirdd Ynys Prydain. Gan hynny, gellir bod yn sicr na fu unrhyw urddo yno. Roedd unrhyw orsedd neu eisteddfod 'yn ôl rheol dderwyddol' yn gwbl annerbyniol iddynt.

Ym 1827 fe wnaeth John Parry *(Bardd Alaw)*, trefnydd yr Eisteddfodau Taleithiol, ei orau glas i ddarbwyllo pendefigion a beirdd Gwynedd Uwch Conwy i gynnal Eisteddfod 1828 yng Nghaernarfon, ond yn ofer. Penderfynodd felly apelio at bendefigion a beirdd a llenorion Gwynedd Is Conwy a llwyddodd i ennill eu nawdd a'u cydweithrediad. Y prif gynorthwywyr oedd William Owen (Pughe) a oedd newydd ymsefydlu yn y cyffiniau, ei fab, Aneurin ap Gwilym, a'r Parch. A. B. Clough, ill tri yn aelodau o Orsedd y Beirdd. Agorwyd yr eisteddfod yn Ninbych ar 16 Medi 1828 â gorymdaith i'r castell lle y darllenodd y Prifardd Alun y sgrôl gorseddol yn rhoddi 'gŵys a gwahawdd i bawb a gyrchont yma, lle nad oes noeth arf yn eu herbyn, ac y cyhoeddir barn gorsedd ar bob awenydd a barddoni a roddir dan ei ystyriaeth, yn llygad haul yn nhwyneb goleuni'. Rhoddwyd fersiwn Saesneg ohono gan Aneurin ap

W.E. JONES, CAWRDAF.

4. William Ellis Jones (*Cawrdaf;* 1795–1848).

Gwilym. Yna symudwyd i'r 'bowling green' a chychwynnwyd ar y gweithgareddau. Anerchwyd gan y llywydd, Syr Edward Mostyn, a Carnhuanawc a chafwyd cyfarchion gan nifer o feirdd ac oddi wrth y llenorion Saesneg, Wordsworth, Sharon Turner, Walter Scott a Robert Southey, cyfeillion i nifer o Orseddogion gan gynnwys Iolo Morganwg.

Yn yr eisteddfod hon y cadeiriwyd Ieuan Glan Geirionydd am ei awdl, 'Gwledd Belsassar'. Rhoddwyd ef, medd yr adroddiad, 'i eistedd ar gadair wedi'i hurddo â dail derw a rubanau glas'. Wedi gwrando ar yr holl ddyfarniadau neilltuodd y beirdd i'r dafarn, a bu cryn ffraeo ac ymladd. Yn ôl un adroddiad, roedd yno brydyddion a'u llygaid 'yn gochion a duon gan ddyrnodau cyfeillion a fynnent eu bod yn well beirdd ... yn methu siarad gan y syched a'r bloesgni a ddygodd yfed gormodedd o gwrw cryf Dinbych ... Ai teilwng, meddwch chwi, yw y cyfryw o bresenoldeb a nawdd ein Pendefigion? Ai teilwng ydynt o'r enw Beirdd?' Yn ystod yr eisteddfod cynhaliwyd gorsedd ar lecyn o'r enw Selwrn, ac urddwyd nifer yn Feirdd, yn Ofyddion ac yn 'Ddisgyblion'. Gweinyddwyr y seremoni oedd Alun, Thomas Price (*Carnhuanawc*) a William Owen (Pughe) (*Gwilym Owain*).

Daeth hi'n dro Gwynedd i noddi'r Eisteddfod Daleithiol unwaith yn rhagor ym 1832, a llwyddwyd i gael perswâd ar Syr R. B. Bulkeley o'r Baron Hill i fod yn llywydd ac ar nifer o bendefigion i'w noddi, ac fe'i cynhaliwyd ym Miwmares. Roedd a wnelai'r ffaith bod Pont y Borth wedi'i chodi ym 1826 a bod ffordd newydd wedi'i gosod o Borthaethwy i Fiwmares â'r dewis o le, ac roedd y ffaith bod Duges Caint a'i merch, y Dywysoges Victoria, yn bwriadu bod yn bresennol yn egluro bod cymaint wedi cynnig eu nawdd i'r ŵyl. Fel yn Ninbych dechreuwyd y gweithgareddau trwy orymdeithio i'r castell. Yno seiniwyd yr utgorn deirgwaith a darllenodd y Prifardd Alun y sgrôl cyhoeddi arferol ac Aneurin Owen gyfieithiad Saesneg ohono. Rhwng muriau'r castell hefyd y cynhaliwyd yr eisteddfod. Bardd y Gadair oedd Caledfryn am ei awdl ar y testun 'Llong-ddrylliad y Rothsay Castle'.

Er bod y Prifardd Alun a rhai Gorseddogion allweddol yn bresennol ac er bod tystiolaeth ar gael bod Alltud Eifion wedi'i urddo yno, ni welwyd cadarnhad yn y wasg nac mewn unrhyw gofnod fod gorsedd wedi'i chynnal. Oherwydd y glaw a amharodd ar y gweithgareddau, ni ddaeth neb o'r teulu brenhinol ar gyfyl yr eisteddfod, a galwyd ar y buddugwyr i ymddangos gerbron Duges Caint ym mhorth Baron Hill i dderbyn eu gwobrwyon. Ond nid pawb a fodlonwyd. Bu'n rhaid i Galedfryn, er enghraifft, gynnal gohebiaeth ag ysgrifennydd yr eisteddfod cyn cael ei wobr. Aethai'r eisteddfod i drafferthion ariannol, ond digolledwyd hi'n ddiweddarach trwy roddion gan y Bwcliaid a'r Mostyniaid.

Cadair Dyfed

Eglwyswyr oedd aelodau pwyllgor Cymdeithas Cymreigyddion Dyfed a gyfarfu ar 26 Hydref 1818, ond roedd un eithriad, Iolo Morganwg. Y cadeirydd oedd Esgob Burgess Tyddewi. Wedi pennu dyddiad eu heisteddfod gyntaf, sef 8–10 Gorffennaf 1819, a ddisgrifiwyd gan yr esgob fel 'gosodiad [sefydliad] offeiriadol', darparodd Iolo sgrôl yn cyhoeddi 'gŵys a gwahawdd gan gorn gwlad yng ngolwg Gwlad ac Arglwydd yn wyneb haul a llygaid Goleuni … i bawb a geisont Fraint ac urddas a thrwydded, wrth gerdd dafod a barddoniaeth, ym mraint Beirdd Ynys Prydain gyrchu cadlas agored yn ymyl Tref Caerfyrddin yn Nhalaith Dinefwr … ag yno yn erwynebol tri chyntefigion Prif Feirdd Ynys Prydain nid amgen Plennydd, Alawn a Gwron. A chyda hwy Eleaser, Gwynfardd Glan Deifi, a Dafydd Gwynfardd Glyn Ceiriog [sef David Richards *alias* Dewi Silin] a Rhobert Nantglyn, ac Iolo Morganwg', sef y pedwar a oedd hefyd wedi'u dewis i feirniadu'r llenyddiaeth yn yr eisteddfod.

Agorwyd yr eisteddfod gan yr esgob, a galwyd ar Iolo Morganwg i egluro pwrpas yr ymgyrch i gynnal eisteddfodau taleithiol, a gwnaeth hynny yn Saesneg. Dyma dair brawddeg arwyddocaol o'i anerchiad: 'One of the principal objects … is the cultivation of our national poetry and the restoration of it to its ancient character, – that of being the guardian and teacher of truth … The remains of their (sef y Cymry) ancient bardic and druidical learning are to this day amongst us … Poetry has preserved to us our original language to this day, in all the pristine purity.'

Bardd y Gadair yn yr eisteddfod oedd Gwallter Mechain a oedd wedi'i urddo'n Fardd mewn gorsedd yn Llundain. Wedi'i gadeirio, esgynnodd Iolo i'r llwyfan a chlymu ruban glas (arwydd bardd-yng-ngorsedd) am ei fraich dde. Dynesodd hefyd at yr Esgob, a chan rwymo ruban gwyn am ei law dde yntau, fe ddywedodd ei fod yn ei urddo'n Dderwydd.

Trannoeth yr eisteddfod cynhaliwyd gorsedd yng ngerddi tafarn Llwyn Iorwg. Dewiswyd Iolo yn llywydd, ac wedi ffurfio cylch o gerrig bychain a gosod un mawr yn y canol, estynnodd Gwilym Morganwg, Cludydd y Cledd, y cleddyf iddo, a chyda chymorth y Beirdd eraill dadweiniwyd a gweiniwyd y cleddyf. Yn y ddefod o dderbyn aelodau newydd, cafwyd gair o gymeradwyaeth i bob ymgeisydd, gofynnwyd iddynt gydio yng ngharn y cleddyf ac ymrwymo 'i beidio gwneuthur trais â neb â'r cleddyf'. Yna rhwymwyd 'ysnoden las' am eu braich dde. Dosbarthwyd tystysgrifau urddo i'r Beirdd, y Derwyddon a'r Ofyddion newydd. Mae un ohonynt, sef yr un a gyflwynwyd i Ifor Ceri, ar gael a chadw o hyd, ac arni disgrifir Iolo Morganwg fel Prifardd. Rhywbryd yn ystod yr eisteddfod hon y cyhoeddodd y Beirdd ddatganiad yn condemnio'r caethiwo a fu ar fesurau traddodiadol gan Dafydd ab Edmwnd yn Eisteddfod Caerfyrddin 1451 gan roi 'Rhyddid i Feirdd Ynys Prydain gyfansoddi Caniadau ar y mesurau mwyaf teilwng a chafaddas i'w testunau', gan gynnwys Mesurau Dosbarth Morgannwg, y rhai roedd Iolo Morganwg ei hunan wedi'u dyfeisio.

Ym 1823 fe ddaeth hi'n dro Dyfed unwaith yn rhagor i noddi'r Eisteddfod Daleithiol, ac fe'i cynhaliwyd ar 24 Medi. Cipiwyd y Gadair gan Daniel Ddu o Geredigion am awdl ar y testun 'Coleg Dewi Sant', ac wedi'i gadeirio, darllenodd bigion o'i gyfansoddiad. Trannoeth cynhaliwyd gorsedd 'ar gae yn ymyl y dref' a dewiswyd Cawrdaf a oedd wedi'i urddo yn Eisteddfod Caernarfon 1821 yn 'Fardd Llywyddol' a Daniel Ddu a Ioan ab Hywel, urddolion Eisteddfod Caerfyrddin 1819, i'w gynorthwyo. Urddwyd chwech yn Feirdd a rhwymwyd 'talaith' las am fraich dde pob un ohonynt, a thri yn Ofyddion. 'Talaith' werdd a gawsant hwy am eu breichiau.

Yn Awst 1825 gwahoddwyd Cawrdaf a D. L. Jones (Clunadda), un o urddolion Gorsedd Caerfyrddin 1823, i gyfarfod beirdd Cymreigyddion Aberteifi, a chofnodir iddynt urddo pedwar newyddian yn y grefft yn 'ddisgyblion Beirdd Ynys Prydain'.

Ym mis Hydref yr un flwyddyn ymadawodd Esgob Burgess â'i esgobaeth a symud i Salisbury, ac ni lwyddwyd i ennyn diddordeb ei olynydd yn y Cymreigyddion a'r eisteddfodau. Rhwng 1825 a 1828 cadeiriwyd cyfarfodydd y Gymdeithas gan Archddiacon Beynon a brofodd ei hun yn 'glodwiw ymgeleddwr ei iaith a'i wlad' trwy gynnig yn enw'r Gymdeithas nifer o wobrwyon am 'Gerddi Arwraidd' yn y mesur di-odl. Bu farw ym 1833, y flwyddyn y disgwylid i Ddyfed unwaith eto ymgymryd â chynnal Eisteddfod Daleithiol, ond erbyn hynny roedd Cymreigyddion Dyfed wedi colli'r gefnogaeth angenrheidiol i noddi eisteddfod ar raddfa Eisteddfod Daleithiol. Pan gynhaliwyd yr Eisteddfod Fawreddog nesaf yn y de, sef yng Nghaerdydd ym 1834, fe roddwyd iddi'r enw swyddogol 'The Gwent and Dyfed Royal Eisteddfod' sy'n awgrymu bod Dyfed o leiaf yn barod i rannu'r baich o gynnal eisteddfod. Cofier na chafwyd eisteddfod yn Nyfed ei hunan tan y chwedegau.

Cadair Powys

A gweithgareddau eisteddfod a gorsedd gyntaf Caerfyrddin 1819 yn fyw iawn yn y cof, dychwelodd Gwallter Mechain, Dewi Silin, Ioan Ceri a W. J. Rees i'w plwyfi yn benderfynol bod rhaid i dalaith Powys hefyd wneud ei rhan yn y mudiad eisteddfodol newydd. Cafwyd cyfarfodydd a sefydlwyd Cymdeithas Cymmrodorion Powys o dan gadeiryddiaeth

Syr Watkin Williams Wynn gyda Dewi Silin yn ysgrifennydd. Yn Wrecsam ar 13–14 Medi 1820 y cynhaliwyd yr eisteddfod. Gwallter Mechain oedd beirniad y farddoniaeth, ac enillydd y Gadair am awdl ar y testun 'Hiraeth Cymro am ei Wlad' oedd Ieuan Glan Geirionydd.

Bwriadai Gwallter Mechain gynnal gorsedd ar y Gardden yn Rhiwabon drannoeth yr eisteddfod, ac er iddo roi gwybod i'r frawdoliaeth, fe benderfynodd y funud olaf roi'r gorau i'r syniad wedi i Esgob Burgess ei rybuddio rhag gwneud. Meddai Taliesin ab Iolo mewn llythyr at ei dad: 'The Bishop of St Davids prevented holding the Gorsedd at Wrexham, objecting to the ceremonies … He is more your enemy than friend.' Os dyna oedd agwedd ei arglwyddiaeth, nid oedd dim amdani ym meddwl ei offeiriaid ond cynnal gorseddau llai yng ngolwg y cyhoedd, ac fe gynhaliwyd un gan Ioan Ceri yn ei blwyf ei hunan ar Fron Aran yng Ngheri, Maldwyn ar 10–12 Ionawr 1821, yn ystod un o gyfarfodydd y 'Cyfeillion Awenyddgar' a arferai ymgynnull yn ei dŷ. Danfonodd Iolo Morganwg ei fab Taliesin iddi, ac yn ôl ei dystiolaeth ef, roedd nifer dda o urddolion gorsedd Caerfyrddin 1819 yno, a chadwyd at ddefodau'r orsedd honno yn ôl y cyfarwyddiadau roedd Iolo wedi'u hanfon at Ioan Ceri yn arbennig ar gyfer yr achlysur. Urddwyd dau yn Feirdd a chwech yn Ofyddion, yn cynnwys y Bardd Cloff, Ioan Tegid, A. B. Clough ac Angharad Llwyd. Yn y cyfarfod hwn trafodwyd sut orau i sicrhau cyhoeddi ar fyrder gyfrol Iolo, *Cyfrinach Beirdd Ynys Prydain,* yr oedd cymaint o ddisgwyl amdani.

Ym mis Mai yr un flwyddyn sefydlwyd Cymdeithas Cymreigyddion Dolgellau. Roedd Cawrdaf newydd ymsefydlu yn y dref i weithio mewn argraffdy, a diau bod a wnelai ef â'i chychwyn. Yn y cyfarfod agoriadol penodwyd ef yn Fardd y Gymdeithas, teitl a newidiwyd yn ddiweddarach i Archdderwydd y Gymdeithas. Mae cofnodion y gymdeithas yn cyfeirio'n gyson at ddigwyddiadau eisteddfodol a gorseddol. Cynhaliwyd un noson ddadl ar y pwnc 'A oes sail i ymarferiadau derwyddol yn yr oes bresennol?' a chynhaliwyd Gorsedd ar Ben 'Gorsedd Idris' ar 7 Mai 1824 pryd yr urddwyd tri yn Feirdd, un yn Ofydd ac un yn 'Henadur i'r Gymdeithas'.

Roedd ail Eisteddfod Daleithiol Powys i'w chynnal yn y Trallwng yr wythnos gyntaf o Fedi 1824. Yr ysgrifennydd oedd Thomas Richards, Llangynyw, brawd Dewi Silin. Penderfynwyd mewn cyfarfod dan gadeiryddiaeth yr Arglwydd Clive o Gastell Coch na fyddid yn cadeirio neb a fuasai'n fuddugol yng nghystadleuaeth yr awdl mewn Eisteddfod Daleithiol flaenorol. Y testun a ddewiswyd oedd 'Dinystr Jerusalem'. Ni fedrai'r bardd buddugol fod yn bresennol, ond aed trwy'r ddefod gan Gwallter Mechain, Robert Nantglyn a Cawrdaf. Enw'r bardd cadeiriog newydd oedd Ebeneser Thomas *(Eben Fardd).*

Bu gwledd yn y Castell Coch i fyddigions y gororau, ac nid oedd dim amdani i'r 'humbler class of bards' ond cerdded tafarnau. Drannoeth gorymdeithiwyd trwy'r dref a gwelwyd Beirdd, Derwyddon ac Ofyddion, rhyw ugain ohonynt, gyda'u hysnodennau glas, gwyn a gwyrdd, rhai yn eu medalau yn arddangos eu campau eisteddfodol a saith o gantorion neu delynorion, y rhan fwyaf ohonynt o Bowys. Ymhlith y Beirdd roedd Ieuan Glan Geirionydd, Gwilym Morganwg, Alun, Aneurin ap Gwilym, Cynddelw a Robyn Ddu Eryri. Er na lwyddwyd i gael tystiolaeth uniongyrchol fod gorsedd wedi'i chynnal, myn rhai mai yn yr eisteddfod hon yr urddwyd Mair Darowen ac Enid Mathrafal, dwy chwaer ysgrifennydd yr eisteddfod.

Prifio'n Daleithiol (1835-1858)

Cadair Morgannwg a Gwent

Ymhlith aelodau cynharaf Cymreigyddion y Fenni roedd Gwenynen Gwent a Carnhuanawc, a'r gymdeithas hon a oedd yn gyfrifol am gynnal cylchwyliau neu eisteddfodau'r Fenni, deg ohonynt i gyd yn ystod yr ugain mlynedd nesaf, y gyntaf o dan gadeiryddiaeth Taliesin ab Iolo, ddeufis wedi Gorsedd y Maen Chwŷf ym 1834. Dilynai beirdd Merthyr, Blaenau Gwent, Pontypridd a Bro Morgannwg yr eisteddfodau hyn a gynhelid yn nhafarnau'r dref ac yn yr ysgol ramadeg i gychwyn ac yna mewn neuadd a godwyd yn arbennig ar gyfer eisteddfodau. Mewn dwy yn unig o'r eisteddfodau y cynhaliwyd gorseddau, sef ym 1838 a 1840.

Yr eisteddfod a aeth â sylw'r wlad oedd Eisteddfod y Fenni, Hydref 1838, a'i gorymdaith liwgar o gymdeithasau lleol, ei gwledd foethus a'i gorsedd enwog. Yn yr orsedd a gynhaliwyd ar drydydd dydd yr eisteddfod hon yr urddwyd Le Comte de la Villemarqué (Kervarker) yn aelod o Feirdd Ynys Prydain. Daethai'r Llydawr, Kervarker, awdur *Barzaz Breiz*, i'r Fenni yn aelod o ddirprwyaeth a anfonwyd o Ffrainc i Brydain i 'gadarnhau y cyfundeb rhwng y ddwy wlad'. Ar y clas y tu cefn i Westy'r Siôr y cynhaliwyd yr orsedd. Yno roedd nifer o gerrig bach wedi'u gosod ar ffurf cylch, a maen yn eu canol. Llywydd y defodau oedd y Prifardd Cawrdaf a drigai ym Merthyr ar y pryd. Nid oedd Taliesin ab Iolo yn bresennol. Dodwyd cleddyf heb ei ddadweinio ar y maen ac ysnoden las amdano. Esgynnodd Cawrdaf yn ei urddwisg liwgar a chan afael yn y cleddyf, fe alwodd ar y Gorseddogion a oedd yn bresennol i ddod i mewn i'r cylch, ac yna gofynnodd pwy a oedd yn ymofyn am 'radd Bardd yn ôl Braint a Defod Beirdd Ynys Prydain'. Cerddodd Kervarker yn bennoeth ac yn nhraed ei sanau rhwng Ioan Tegid a Rhydderch Gwynedd i mewn i'r cylch. Cydiodd y naill o'r cyflwynfeirdd yng ngharn y cleddyf a'r llall yn y wain a dadweinio'r cleddyf ryw fymryn. Ymaflodd y Prifardd yn llaw Kervarker a rhoddi carn y cleddyf yn ei law dde agored a gofyn yn uchel a wyddai neb am ddim yn erbyn i Kervarker gael ei urddo'n Fardd yn ôl Braint a Defod Beirdd Ynys Prydain. Yna fe'i hurddwyd i'w alw yng Ngorsedd – *Bardd Nizon*. Aeth Kervarker ar ei lw na fyddai yn tywallt gwaed â chleddyf, a gosododd Ioan Tegid a Rhydderch Gwynedd ysnoden las am ei fraich

5. Evan Davies (*Myfyr Morganwg;* 1801–88). Mabwysiadodd y teitl Archdderwydd Ynys Prydain.

a'i gyfarch ag englynion. Urddwyd pum Bardd arall, sef Iago Emlyn, Ioan Emlyn, Gwilym Gelli-deg, Sallwg a Nathan Dyfed (Jonathan Reynolds), ac wedi i Kervarker adrodd cerdd Lydaweg, fe gaewyd yr orsedd.

Bardd gweinyddol gorsedd Eisteddfod y Fenni 1840 oedd Taliesin ab Iolo. Ynddi fe urddwyd saith yn cynnwys Robert Lloyd Morris *(Rhufoniawc)*, ysgrifennydd Eisteddfod Lerpwl 1840, a'r Parch. John Evans, llywydd Cymreigyddion y Fenni.

Yn ystod Eisteddfod y Fenni 1836 y ffurfiwyd The Welsh Manuscript Society ac yn Eisteddfod 1848 penderfynwyd ymgymryd ag argraffu y *Iolo Manuscripts* a oedd wedi'u golygu gan Taliesin ab Iolo cyn ei farw ym 1847, cyfrol a ddylanwadodd yn fawr ar y ddelwedd orseddol am weddill y ganrif.

Yn fuan wedi Eisteddfod y Fenni 1838 symudodd Cawrdaf o Ferthyr i'r Bontfaen ym Mro Morgannwg. Ymunodd â Chymdeithas Cymreig-yddion Cadair Morgannwg y dref a arferai gynnal cylchwyliau ar batrwm rhai Merthyr a'r Fenni. Cynhaliwyd y drydedd gylchwyl ar 21 Mawrth 1839 yn Nhŷ Mrs Howe o dan Arwydd y Seiri Rhyddion. Y llywydd oedd William Williams *(Carw Coch).* Addurnwyd cadair y llywydd ar y llwyfan gan Miss Peggy Williams, un o ferched Iolo Morganwg. Beirniad y traethodau oedd Carnhuanawc. Cynhaliwyd hefyd orsedd drannoeth yr ŵyl ar ben uchaf Cae Tyle Rosser 'uwch ben tollglwyd orllewinol y dref'. Gorymdeithiwyd o ystafell y gymdeithas a'r Prifardd Cawrdaf a'r Bardd Edward Williams *(Iolo Fardd Glas)* yn arwain. Wedi cyrraedd y llecyn gosodwyd deuddeg carreg yn gylch ac un maen yn y canol. Symudodd y ddau Fardd i ganol y cylch, ac wedi gosod y cleddyf ar y maen, eglurodd Cawrdaf arwyddocâd y cynulliad. Tynnwyd y cleddyf o'r wain a gosodwyd ef yn noeth ar y maen. Holwyd a oedd rhai yn ymgynnig am urddau, ac urddwyd dau yn Feirdd, sef William Jones *(Gwilym Ilid)* ac Evan David *(Myfyr Morganwg)* a deg yn Ofyddion, yn eu plith David Williams *(Alaw Goch)* a Mathew Donne *(Dwn Morganwg),* ysgrifennydd y gymdeithas. Yna caewyd yr orsedd a dychwelwyd i ystafell y gymdeithas lle y dosbarthwyd tystysgrifau i'r urddolion newydd.

Cadair Gwynedd

Roedd dau fardd o Wynedd yn bresennol yn Eisteddfod Caerdydd 1834, sef Clwydfardd a Gwilym Padarn, y ddau wedi cerdded yno bob cam. Yno buont yn cyfeillachu â Taliesin ab Iolo, a diau iddynt glywed gryn sôn am y mudiad a sefydlwyd gan ei dad, sef Beirdd Ynys Prydain, am y derwyddon, yr 'Urdd mawr a fu'n harddu Môn' ac am Orsedd y Maen Chwŷf. Yn yr eisteddfod a gynhaliwyd yn Llannerch-y-medd ar

9–10 Mehefin 1835 Clwydfardd oedd beirniad y farddoniaeth. Ef hefyd oedd 'Bardd yr Eisteddfod', a golygai hyn ei fod yn gyfrifol am y gweithgareddau gorseddol, rhywbeth newydd a dieithr i bobl Môn y pryd hynny. Roedd Gwilym Padarn a'i fab, Griffith, hefyd yn bresennol ynghyd â nifer o feirdd adnabyddus Gwynedd, megis Dewi Wyn o Eifion, Robert ap Gwilym Ddu, Gwyndaf Eryri a Caledfryn, athro bardd i'r ddau frawd, Monwysiad a Llanerchydd. Diau i Clwydfardd a Gwilym Padarn glywed defnyddio'r term Maen Chwŷf (y Garreg Siglo) am Faen yr Orsedd yn ystod eu hymweliad â Chaerdydd, ac er ei fod yn derm anaddas am faen nad oedd yn ysgwyd, dyna'r term a ddefnyddiwyd yn Eisteddfod Llannerch-y-medd. Oddi ar 'y Maen Chwŷf ar dud Llwydiarth ger Llanerchymedd, yn Gwynedd' y darllenodd Clwydfardd y sgrôl gorseddol yn cyhoeddi'r eisteddfod yn agored ac y darllenodd Thomas Parry *(Llanerchydd)* ei gyfarchion ar ffurf awdl. Trannoeth cynhaliwyd gorsedd yno pryd yr urddwyd Llanerchydd a Richard Parry *(Monwysiad* alias *Gwalchmai),* Griffith Edwards *(Gutyn ap Gwilym Padarn),* Hugh Hughes *(Huw Tegai)* a Robert Mona Williamson *(Bardd Du Môn)* yn Feirdd, nifer yn Ofyddion yn cynnwys y telynor ifanc, Joseph Tudor Hughes *(Blegwryd ap Seisyllt)* a thri yn 'ddisgyblion cerdd dant'.

Ymhen chwe wythnos, 23 Gorffennaf, cynhaliwyd dau sesiwn gorseddol arall, un dan do yn y bore pryd yr urddwyd Owen Roberts *(Owain Llwyfo)* a'r llall am hanner dydd wrth y Maen Chwŷf dan lywyddiaeth Clwydfardd a John Hughes. Darllenwyd englynion gan Clwydfardd, Monwysiad a Llanerchydd; urddwyd cerddor o Lydaw, Aotrou de Pothonier *(Orffews o Ffrainc),* a chyflwynwyd 'Tlws Aur' i Blegwryd ap Seisyllt. Cyfarchwyd y telynor ifanc ar gân gan Ieuan o Glochran. Caewyd yr orsedd trwy i'r seindorf ganu 'Duw gadwo'r Brenin'.

Ym meddwl beirdd ac eisteddfodwyr Gwynedd perthynai Lerpwl i'w talaith hwy, ond, a barnu yn ôl rhestr enwau'r noddwyr, cafwyd cryn gefnogaeth i Eisteddfod Cymdeithas y Gordofigion, Lerpwl ar 6 Mehefin 1840 gan rai o'r tu allan i Wynedd hefyd, megis o Went. Ynddi ceir enwau megis Charles Morgan, J. J. Guest, Benjamin Hall a Kervarker hyd yn oed. E. M. Lloyd (Arglwydd Mostyn, wedyn) oedd y llywydd a Rhufoniawc, a ddaeth i Eisteddfod y Fenni bedwar mis yn ddiweddarach, ar 7 Hydref, i'w urddo'n Fardd gan Taliesin ab Iolo, oedd yr ysgrifennydd. Fel Eisteddfod Caerdydd 1834 ac Eisteddfod y Fenni 1838 gwnaed ymdrech arbennig i'w chynnal 'yn ôl dull a threfn cyntefig y cyfryw gyfarfodydd'. Fe'i cyhoeddwyd flwyddyn o flaen llaw gan Ieuan Glan Geirionydd, 'Bardd wrth fraint a defod Beirdd Ynys Prydain' mewn cynulliad ar faes agored ymhen uchaf Brunswick Rd. 'yn llygad haul ac yn wyneb goleuni'. Eglurwyd mai telynorion, datgeiniaid a chantorion Cymraeg yn unig a glywid ynddi.

Agorwyd yr eisteddfod trwy orymdeithio i'r Amphitheatre. Yn yr orymdaith roedd utganwyr, Gorseddogion, seindorf ac aelodau o Gymdeithas y Derwyddon yn eu hurddwisgoedd. Cynhaliwyd yr orsedd 'yng Nghwrt yr hen Ysbyty, lle y saif St. George's Hall heddiw'. Yno trefnwyd cylch o ddeuddeg carreg a dodwyd maen yn y canol. Prifardd yr orsedd oedd Ieuan Glan Geirionydd yn cael ei gynorthwyo gan Ioan Tegid a Iocyn Ddu. Cododd Ieuan Glan Geirionydd y cleddyf noeth oddi ar y Maen Gorsedd a'i weinio. Yna gofynnodd a oedd rhywun yno yn ceisio urdd wrth 'Gerdd a Barddoniaeth yn ôl defawd Ynys Prydain'. Dynesodd Ebenezer Thomas, enillydd y Gadair y diwrnod cynt, at y Maen a chydio yn y cleddyf â'i law dde. Wedi i Ioan Tegid rwymo ysnoden las am ei fraich, gofynnodd y Prifardd i'r ymgeisydd pa enw-yng-ngorsedd a ddymunai, ac fe atebodd yntau – Eben Fardd. Urddwyd tri ar ddeg arall yn Feirdd, yn cynnwys Meurig Ebrill a Ioan Mai, tri yn 'Awenyddion neu Ddisgyblion Ysbas', ac yn eu plith Rhufoniawc ac un yn Dderwydd ac yn Fardd, sef David James (*Dewi o Ddyfed*), Ficer Kirkdale, a oedd wedi'i urddo'n Ofydd gan Iolo Morganwg ym 1819 ac a oedd yn uchel ei barch ymysg Gorseddogion wedi iddo gyhoeddi *The Patriarchal Religion of Britain: or a Complete Manual of Ancient British Druidism* (1836), un o amryw gyfrolau'r cyfnod a roes gryn hwb i'r Urdd Dderwyddol (The Druid Order) a Beirdd Ynys Prydain. Perchid ef gymaint nes iddo gael ei ddewis i lywyddu'r orsedd yn yr eisteddfod fawreddog nesaf a gynhaliwyd yng Ngwynedd, sef Eisteddfod Aberffraw, Awst 1849, ac yn y seremoni urddo ar Fryn Llewelyn fe'i gelwid yn 'Archdderwydd', teitl a ddefnyddid ar y pryd gan yr Urdd Dderwyddol. Cynorthwywyd ef gan Iocyn Ddu a Clwydfardd. Eithr Clwydfardd a benodwyd i ddarllen sgrôl agor yr eisteddfod y bore cyntaf. Darllenwyd fersiwn Saesneg hefyd gan y Parch. Hugh Owen, ysgrifennydd yr eisteddfod. Yn yr orsedd hon yr urddwyd Hwfa Môn a Gweirydd ap Rhys yn Feirdd, Joseph Hughes (*Carn Ingli*, ysgrifennydd Cymdeithas y Clerigwyr Cymreig) a Thomas James (*Llallawg*), brawd Dewi o Ddyfed yn Dderwyddon a Hugh Owen (*Meilir Môn*) yn Fardd ac yn Dderwydd. Urddwyd hefyd ddeg Ofydd, saith ohonynt yn wragedd. Y cadeirfardd oedd Ioan Emlyn o Bontypridd.

Yn Eisteddfod Freiniol Rhuddlan a gynhaliwyd ar 24–29 Medi 1850, gofynnwyd yng nghystadleuaeth y Gadair am 'Bryddestawd' ar unrhyw fesur ac eithrio'r mesur di-odl ar y testun 'Yr Atgyfodiad', a chynigiwyd gwobr o £25 a 'thlws cadeiriol'. Cadeiriwyd Ieuan Glan Geirionydd am ei gerdd ar un o fesurau Iolo Morganwg wedi'u canu'n ddigynghanedd, a gosodwyd awdl Caledfryn yn ail. Cythruddwyd y beirdd gan y fath ddyfarniad. Ffurfiwyd pwyllgor yn syth a phenderfynwyd 'nad oedd cadair Eisteddfod i'w rhoi ond am Awdl yn unig' ac nad oedd neb yn fardd mwyach oni fyddai wedi graddio wrth 'fraint a defod'. Gweinyddwyr y cadeirio oedd Nicander, Talhaiarn a Meurig Idris. Gan ddal cleddyf uwchben y cadeirfardd cyfarchwyd ef gan y tri.

Cynhaliwyd yr orsedd 'ar gadlas y Castell' o dan lywyddiaeth Dewi o Ddyfed a chyda chymorth Ieuan Glan Geirionydd a Meurig Idris, ac urddwyd Beirdd ac Ofyddion. Er bod Clwydfardd, fel 'Bardd yr Eisteddfod' yn gynharach wedi ymgymryd ag urddo aelodau o'r Orsedd, ni chafodd ef ei hun ei urddo tan orsedd Rhuddlan 1850, a'i urddo'n Ofydd a gafodd y pryd hynny. Wedi'r ddefod cyhoeddwyd o'r Maen mai yn Nhremadog ar 9 Hydref 1852 y cynhelid yr eisteddfod nesaf yng Ngwynedd.

Deng niwrnod cyn Eisteddfod Rhuddlan cyfarfu nifer o noddwyr a beirdd ar Ynys Galch yn Nhremadog pryd y cyhoeddwyd dyddiad yr eisteddfod yn ddefodol. Yng ngorsedd yr eisteddfod, disgwylid i'r ymgeiswyr am urddau lunio englyn a'i ddarllen. Ymysg y rhai a urddwyd oedd D. Silvan Evans *(Hirlas)*, Ellis Roberts *(Elis Wyn o Wyrfai)*, William Ambrose *(Emrys)*, ac Edward Davies *(Iolo Trefaldwyn)*. Yng nghyfarfod y beirdd parhaodd y ddadl ynglŷn â'r awdl a'r bryddest, a phenderfynwyd y gellid rhoi'r gadair am y naill a'r llall.

Fe geisiodd y Parch. H. H. Davies *(Pererin)*, a oedd wedi'i urddo yn Eisteddfod Llangollen 1858, drefnu cynnal eisteddfod ym Miwmares ym 1860. Aeth cyn belled â'i chyhoeddi'n orseddol flwyddyn ymlaen llaw o fewn muriau'r castell a chyhoeddi'r prif destunau yn y wasg, er ei fod yn gwybod bod carfan arall o Orseddogion, a Clwydfardd a Meilir Môn yn eu plith, wedi cyhoeddi fisoedd cyn hynny fod eisteddfod i'w chynnal yn Ninbych yn Awst 1860 yn enw Gorsedd Gwynedd, gŵyl y bwriadai ei threfnwyr iddi fod yn un 'genedlaethol'. Ni welwyd nac eisteddfod na gorsedd ym Miwmares ym 1860, ond fe agorwyd Eisteddfod Dinbych ar y dyddiad penodedig ac yn unol â'r 'defodau arferedig' … 'yn Nghastell Caledfryn yn Rhos (yn awr Dinbych) yn Ngwynedd', pryd y darllenwyd y sgrôl yn Gymraeg gan Clwydfardd ac yn Saesneg gan Talhaiarn. Yn yr ail sesiwn, a Clwydfardd yn llywyddu ac yn cael ei gynorthwyo gan Emrys, urddwyd ugain yn Feirdd gan gynnwys Glan Alun a Gwilym Cowlyd, a phymtheg yn Ofyddion. Yn y trydydd sesiwn dyrchafwyd Meilir Môn i'r Urdd Archdderwydd newydd a gwnaed dau yn Dderwyddon a deunaw, dwy ohonynt yn ferched, yn Feirdd. Ioan Emlyn a gipiodd y Gadair, ac fe'i cadeiriwyd 'yn ôl braint a defod Beirdd Ynys Prydain' yn yr union gadair a ddefnyddiwyd i gadeirio Twm o'r Nant yn Eisteddfod Llanelwy 1790 a Ieuan Glan Geirionydd yn eisteddfodau Dinbych 1828 a Rhuddlan 1850. Yn yr eisteddfod hon yn Ninbych y penderfynwyd trefnu eisteddfodau yn genedlaethol a bod y gyntaf i'w chynnal yn Aberdâr ar 28 Awst 1861.

Cadair Powys

Wedi Eisteddfod Daleithiol Powys a gynhaliwyd yn y Trallwng ym 1824, digon tila ac ysbeidiol oedd hanes Gorsedd y Beirdd yn y dalaith. Ysgrifennydd yr eisteddfod honno oedd Thomas Richards a fu'n cadw ysgol yn Aberriw lle y bu Ieuan Glan Geirionydd ac Alun dan addysg. Penodwyd ef i ofalaeth Llangynyw ac ar 29 Tachwedd 1827 cynhaliodd orsedd yn ddirgel ar lawnt y ficerdy. Dewiswyd gwahodd ychydig o Orseddogion, ac yn bresennol roedd William Owen (Pughe) a Gwallter Mechain. Pwrpas y cyfarfod yn bennaf oedd urddo'r Hebreigydd Anthony Ashley Cooper, cyfaill i Thomas Richards. Urddwyd ef yn Dderwydd i'w alw yng ngorsedd Lleon Llew Gyffes.

Dwy flynedd yn ddiweddarach, ar 5–6 Tachwedd 1829, cynhaliwyd eisteddfod yn nhafarn y Llew Aur a gorsedd ar ben Bryn Maes y Carchardy yn Llansanffraid Glyndyfrdwy yn Edeirnion. Bardd llywyddol yr Orsedd oedd Robert Nantglyn, ac wedi diwrnod o englyna ac yfed, fe urddwyd pedwar yn Feirdd, tri yn Ofyddion a thair yn Ofyddesau.

Ym 1836 cynhaliwyd eisteddfod yn y Bala a gorsedd ar lan Llyn Tegid. Gwalchmai a Clwydfardd oedd y Beirdd llywyddol, a gwyddom i Talhaiarn a Ioan Madog gael eu hurddo ynddi.

Ni welwyd cofnod i orsedd gael ei chynnal yn Eisteddfod yr Wyddgrug 1851, er bod nifer o Orseddogion ffyddlon yn perthyn i Gymdeithas y Cymreigyddion yn y dref, megis Andreas o Fôn, Rhufoniawc, Nicander a Caledfryn, ac er i'r eisteddfod gael ei hagor yn orseddol ddigon.

Gyda dyfodiad John Williams (*Ab Ithel*) yn rheithor i Lanymawddwy ym 1849 ymdrechwyd i gynnal eisteddfod yn nhref Dolgellau ym 1853–4. Roedd Ab Ithel yn cystadlu yn Eisteddfod Abertawe ym 1841 ar draethawd ar bwnc yn ymwneud â'r derwyddon. Golygai'r *Archaeologia Cambrensis* a chyhoeddodd destun *Y Gododdin* ynghyd â chyfieithiad ym 1851. Eithr ni fynnodd ei urddo yn aelod o Feirdd Ynys Prydain, ac nid oes tystiolaeth iddo ymhél â threfniadaeth eisteddfodol. Ond ym 1855, heb ymgreinio o flaen unrhyw noddwr ond gyda chymorth John Owen Jones *(Glasynys)*, ysgolfeistr ar y pryd yn Llanfachreth ger Dolgellau, aeth ati i gynnal eisteddfod yn Ninas Mawddwy a gwahodd Gutyn Ebrill i fod yn arweinydd. Yn ystod yr eisteddfod fe gynhaliodd orsedd ar Ddôl-y-bont ger y pentref a'i llywyddu ei hunan ac urddo nifer o feirdd yn cynnwys Mynyddog, Caersallwg, Gutyn Ebrill a Tafolog, er nad oedd ef ei hunan, fel y dywedwyd eisoes, yn aelod o Orsedd y Beirdd.

Tua'r amser yma roedd Ab Ithel wedi cael cyfle i ymgydnabod â chynnwys llawysgrifau Iolo Morganwg a oedd bellach ynghadw ym Mhlas Llanofer, ac wedi mwydro ei ben yn lân â syniadau derwyddol.

6. John Williams (*Ab Ithel*; 1811–62).

Bu'n gohebu â Myfyr Morganwg, a chafodd yng ngorsedd Alban Elfed Cadair Morgannwg 1856 ei urddo'n Fardd *in absentia* gan Myfyr Morganwg a hawliai'r teitl Archdderwydd Beirdd Ynys Prydain. O hyn ymlaen uchelgais Ab Ithel oedd cynnal 'Eisteddfod Fawr Freiniol' yn enw Cadair Powys a'i galw 'Eisteddfod Genedlaethol Cymru', a hynny mewn man hwylus o fewn cyrraedd y rheilffordd newydd, sef Llangollen, fel y byddai'n denu cynulleidfaoedd mawr. Mynnai Ab Ithel, gyda llaw, fod Cadair Powys yn 'freiniol' am ei bod wedi'i sefydlu 'gan dri bardd brenhinol, Llywarch Hen, Brochwel Ysgythrig a Gwron ab Cynferch'. I'r perwyl hwn ac fel rhagbaratoad iddi cynhaliodd eisteddfod fechan yn Llangollen ym 1857 a'i llywyddu ei hunan. Dywed un adroddiad mai 'o'r Orsedd garreg yn y cylch crwn' yn eisteddfod y flwyddyn honno y cyhoeddwyd yr 'Eisteddfod Fawr Freiniol' a oedd i'w chynnal yn yr un dref ym 1858. Fe'i cyhoeddwyd hefyd gan Myfyr Morganwg yng Ngorsedd Sant y Brid, Bro Morgannwg, ym 1857 ar achlysur urddo Glasynys a Richard Lloyd *(Yr Estyn)*.

Ffurfiwyd pwyllgor o dri i drefnu Eisteddfod Fawr Llangollen 1858, sef Ab Ithel, Carn Ingli ac R. W. Morgan *(Môr Meirion)*. Ymunodd Yr Estyn â'r pwyllgor yn ddiweddarach. Codwyd pabell yr eisteddfod wrth Westy Ponsonby a chylch 'y Meini Gwyngil' a'r 'Maen Arch' (term a fenthyciodd oddi ar Myfyr Morganwg) wrth Bont Esgob Trefor ychydig i gyfeiriad Pentre-dŵr. Roedd y cylch yn ddeg llathen ar draws a phob maen wedi'i osod yn fanwl yn ôl y cyfarwyddiadau a welwyd yn llawysgrifau Iolo Morganwg. Ar gyfer y seremonïau gorseddol argymhellai Ab Ithel i'r Beirdd a fedrai fforddio ymddangos mewn gwisgoedd i'w hynodi, ac i'r lleill wisgo 'ystola'. Dadleuai, os oedd offeiriaid, odyddion a seiri rhyddion yn gwisgo lifrai pam na ddylai aelodau o'r 'frawdoliaeth hynaf yn y byd, sef Beirdd Ynys Prydain', wneud hynny? Cyhoeddodd fod unrhyw ymgeisydd am Urdd Bardd i anfon ei enw i mewn, fod ymgeisydd am Urdd Ofydd i gael ei gymeradwyo gan Fardd a bod cymeradwyaeth y gynulleidfa yn y seremoni yn hanfodol yn y dewis o Dderwyddon.

Diwrnod cyntaf yr eisteddfod bu gwrthdystiad. Danfonodd y beirdd neges wedi'i harwyddo gan Mynyddog at drefnyddion yr eisteddfod yn datgan bod yn rhaid i un o leiaf o'r rhai a weinyddai'r seremoni orseddol a defod y cadeirio fod yn 'Fardd Cadeiriog yn ôl braint a defawd Cadair Powys'. Roedd hyn yn her i bob un o'r trefnyddion diawen. Beth bynnag, mynnodd Ab Ithel lywyddu'r gorseddau a gynhaliwyd yn ystod yr eisteddfod, ac mae'n arwyddocaol bod y rhan fwyaf o'r rhai a'i cynorthwyai yn y seremonïau wedi'u hurddo yng Nghadair Morgannwg gan Myfyr Morganwg a oedd hefyd yn un o'r cynorthwywyr.

Ac eithrio ychydig o wŷr bonheddig 'mewn gwasgodau amliwiog ac arnynt ymadroddion cysegredig yn llythrennau henafol Coelbren y beirdd', neilltuwyd yr orymdaith i Orseddogion yn unig, y Beirdd mewn urddwisgoedd o'u dewis, 'oherwydd diffyg gwybodaeth gydunol o barth dull y gwisgoedd'. Gwisgent gennin a thywysennau ŷd a charient ffyn. Ar y blaen roedd baner y Ddraig Goch wedi'i dylunio gan Taliesin o Eifion, ac o flaen pob un o'r Urddau cludid baneri gwahanol, un werdd, un las ac un wen.

Cyn agor yr orsedd, esgynnodd Ab Ithel yn ei wenwisg i'r 'Maen Arch' a thraethu'n gryno ar hanes Barddas. Yna, wedi i Môr Meirion adrodd Gweddi'r Orsedd, darllenodd Ab Ithel y sgrôl yn cyhoeddi'r orsedd yn agored. Galwodd ar y rhai a fynnai Urdd Bardd, a chan ymaflyd yn llaw pob un ohonynt yn ei dro a throi tua'r dwyrain fe ddywedai, 'Boed i oleuni Duw fod o'th flaen, goleuni Duw yn dy gydwybod a gwirionedd Duw ar dy dafod.' Ymysg y rhai a urddwyd yn Feirdd roedd Ceiriog, yn Ofyddion roedd George Hammond Whalley, Plas Madog a James Kennard *(Elfynydd),* cofiannydd Ab Ithel, ynghyd â nifer o ferched wedi'u dilladu yng ngwisgoedd 'hynafol y Cymry ac ar eu pennau goronblethau celfydd o uchelfar, dail derw, tywysennau yd a chennin'. Rhwymwyd ysnodennau o'r lliwiau priodol am freichiau'r urddolion gan Môr Meirion. Darllenwyd rhai o 'Drioedd Barddas', sef Trioedd Pawl gan un o'r gorseddogion a chafwyd cân gan William Richard John *(Mathonwy)* o Forgannwg. Daeth y defodau i ben trwy i Ab Ithel adrodd y fawlgan eglwysig *(doxology)* o'r *Llyfr Gweddi Gyffredin.* Cafwyd ail sesiwn ddydd Gwener yr eisteddfod pryd yr urddwyd deg yn Ofyddion, pump yn Dderwyddfeirdd a chwech yn Feirdd yn cynnwys John Griffiths *(Glan Aeron),* Ficer Castell-nedd.

Yn ei adroddiad am yr eisteddfod a'r orsedd yn y cylchgrawn *Taliesin* mynegodd Ab Ithel ei obaith y gwelid maes o law 'ddwyn Beirdd, Ofyddion a Derwyddon i ryw drefn fel cymdeithas [genedlaethol] yn rhwym wrth reolau', ond gobeithio'n ofer a wnaeth, canys ymgymeriad anymarferol ydoedd, a hynny am fod y mudiad o'r dechreuad wedi dibynnu ar rwydweithiau o feirdd a gydweithiai o fewn y gwahanol daleithiau neu gadeiriau i gynnal eu gorseddau. Ac roedd y rhwydweithiau annibynnol hyn yn eiddigeddus o'u breintiau, yn enwedig Cadair Morgannwg o dan arweiniad Myfyr Morganwg.

Fe ofalodd Ab Ithel nad oedd Myfyr Morganwg yn y wenwisg y tybiai ei bod yn archdderwyddol, gyda'r wy bondigrybwyll a'i amrywiaeth o 'insignia' y gwelodd gyfeiriad atynt yn llenyddiaeth dderwyddol y cyfnod, yn cael gormod o'r Maen a'r llwyfan yn Llangollen, ond yng Nghyfarfodydd y Beirdd a gynhaliwyd yno, Myfyr Morganwg, 'the most profound living exponent of the uncompromising Pan-druidic philosophy', chwedl James Kennard, oedd y prif siaradwr a chocyn hitio ei amheuwyr diddychymyg ac ymosodol. Roedd y Dr William Price o Lantrisant, a honnai ei fod wedi'i fedyddio gan dderwydd, yn fwy o destun syndod i'r eisteddfodwyr cyffredin. Ymddangosai i James Kennard fel 'a primeval British physician' yn ei siaced felfed a'i benwisg o groen cadno, a'i gleddyf a'i farf laes. Gydag ef yn yr orymdaith ac yn marchogaeth ceffyl roedd ei ferch yn ei gŵn ysgarlad a'i phenwisg o groen cadno. Ni chafwyd unrhyw dystiolaeth bod William Price wedi'i urddo'n aelod o Feirdd Ynys Prydain, ond fe wyddys yr arferai gynnal seremonïau ar ei ben ei hunan ar y Maen Chwŷf ym Mhontypridd.

Yr Ymgiprys am yr Awenau Cenedlaethol (1860–1888)

1860–1868

Cyn i Eisteddfod Fawr Llangollen 1858 ddirwyn i ben fe gafwyd Cyfarfod y Beirdd lle y trafodwyd yr angen a'r ymarferoldeb o gynnal Eisteddfod Genedlaethol uchelgeisiol debyg i'r un y llwyddodd Ab Ithel, heb gymorth noddwyr, i'w chynnal, a gofynnwyd i Creuddynfab, Glan Alun a Martin Smith amlinellu cynlluniau. Yn Eisteddfod Dinbych 1860, fel y crybwyllwyd eisoes, penderfynwyd cynnal yr Eisteddfod Genedlaethol o dan y drefn newydd yn Aberdâr ar 28 Awst 1861. Yng nghyfarfodydd rhagarweiniol y Pwyllgor Cyffredinol newydd (yr oedd y mwyafrif o'i aelodau, yn cynnwys y cadeirydd, Glan Aeron, yn Orseddogion) penderfynwyd mai'r Pwyllgor hwnnw a oedd i benderfynu lleoliad yr eisteddfod yn y gogledd a'r de ar yn ail, dewis y testunau, penodi'r beirniaid a sicrhau arian i dalu'r gwobrau. Prif dasg y pwyllgorau lleol oedd sicrhau llecyn addas neu neuadd helaeth i'w chynnal. Cythruddwyd llawer o'r Gorseddogion hynny a lynai'n deyrngar wrth eu rhwydweithiau taleithiol gan gynlluniau a olygai eu bod yn cael eu dirmygu, eu hanwybyddu, a'u hamddifadu o'u heisteddfodau blynyddol, a dechreuwyd ymgyrch i 'wrthweithio gwenwyn y Reformed Eisteddfod'.

Cynhaliodd Gorsedd Cadair Gwynedd 'Eisteddfod Genedlaethol' ei hunan yng Nghastell Conwy ar 14–16 Awst 1861, ychydig ddyddiau o flaen Eisteddfod Genedlaethol Aberdâr. Ynddi cafwyd cyfarfod cyhoeddus yn gwrthdystio yn erbyn dulliau unbenaethol y Pwyllgor Cyffredinol gan fynnu y dylai eisteddfodwyr o bob cwr o'r wlad gael cyfle i ystyried y cynlluniau ac i roi barn arnynt. Nid yw'n ymddangos i Gyngor yr Eisteddfod Genedlaethol wneud unrhyw sylw o'r gwrthdystiad.

Bardd gweinyddol Gorsedd Cadair Gwynedd yng Nghastell Conwy oedd Gwalchmai, ond fe'i cynorthwywyd ar y 'Maen Arch' gan Ab Ithel a Glasynys. Yn yr orymdaith roedd carfan o Wirfoddolwyr Milwrol Llandudno a Seindorf y Penrhyn. Meddai'r adroddiad swyddogol: 'On their [y Gorseddogion] arrival at the triumphal arch the military defiled and with presented arms admitted the passage for the rest of the train'. Yn wahanol i'r hyn a welwyd yn Llangollen ym 1858, nid oedd unrhyw urddwisgoedd gan y Gorseddogion, ond gwisgai Gwalchmai ei fedalau eisteddfodol niferus. Cafwyd dau sesiwn urddo. Yn yr ail fe urddwyd James Davies (*Iago Tegeingl*) a wnaed ym 1892 yn Geidwad y Cledd. Yng Nghyfarfod y Beirdd a gynhaliwyd yn Neuadd y Dref, penderfynwyd y dylid sefydlu rhyw safon arholi ymgeiswyr am urddau gorseddol a hefyd gyflwyno 'Corn Hirlas' i Ab Ithel yn arwydd o werthfawrogiad o'i waith, ac yn ddiweddarach gwahoddodd Gwalchmai ef i dderbyn y teitl Archdderwydd Gwynedd, ond fe'i gwrthododd gan ddweud mai gan yr un a lywyddai yng ngorseddau'r Maen Arch ym Mhontypridd yn unig yr oedd yr hawl i'r teitl. Enillwyd Cadair yr Eisteddfod am yr awdl 'Mynyddoedd Eryri' gan Gwilym Cowlyd, ac fe'i dodwyd i eistedd i sain utgyrn mewn cadair a gyflwynwyd, medd yr adroddiad swyddogol, gan y Frenhines Elisabeth i Feirdd Ynys Prydain!

Roedd Gorseddogion Cadair Powys o dan arweiniad Ab Ithel yr un mor ffyrnig yn erbyn y drefn eisteddfodol newydd, a dangoswyd hyn yn eu bwriad i ffurfio Cymdeithas Gymreigyddol Powys a chynnal eisteddfodau mawreddog yn eu talaith eu hunain. Ond gyda marw Ab Ithel ym 1862 daeth yr ymgyrch i ben.

*   *   *

Ond y gŵr a fynegodd fwyaf o anfodlonrwydd â'r drefn newydd oedd Myfyr Morganwg a fynnai fod gan Orsedd Cadair Morgannwg, oherwydd ei hynafdod a'i chysylltiad â Iolo Morganwg, awdurdod nid yn unig dros Orseddau pob Cadair Daleithiol ond dros Orsedd yr Eisteddfod Genedlaethol hefyd.

Gyda marw Taliesin ab Iolo ym 1847 a Carnhuanawc ym 1848 collodd Gorseddogion ac eisteddfodwyr Morgannwg a Gwent eu harweinwyr diwylliannol. Ond cafwyd un a oedd yn fwy na pharod i ddod i'r adwy, sef Evan David (*Myfyr Morganwg*) a oedd wedi cynnig am y Gadair yn Eisteddfod Daleithiol Powys ym 1824 ac a oedd wedi'i urddo'n Fardd gan Cawrdaf yng Ngorsedd y Bont-faen ym 1839. Ymddiddorodd yn gynnar yn honiadau Iolo Morganwg, mewn derwyddiaeth ac yng nghrefyddau'r Dwyrain gan greu synthesis ei hunan a'i cynysgaeddai, i'w dyb ef, i fod yn lladmerydd derwyddiaeth ym Morgannwg. Ym 1849 aeth ef a'i 'gydawenyddion' ati i dacluso Cylch y Maen Chwŷf, ei helaethu a'i drawsffurfio, a chyhoeddi, fel y tystia sgrôl ei orsedd gyntaf, fod gan Orsedd a Chadair Morgannwg neu 'Trwn y Sarff' awdurdod dros holl orseddau Beirdd Ynys Prydain. Defnyddiai'r enw 'Trwn y Sarff' am fod gwŷr fel William Stukeley yn ei gyfrol *Stonehenge* ac awduron eraill yn dysgu bod offeiriaid y Dwyrain Canol a arddelai'r grefydd Batriarchaidd yn arfer codi temlau ar ffurf seirff. Cwblhawyd y gwaith tacluso erbyn Alban Hefin 1849 pryd y cyhoeddwyd 'yn awdurdodol a rheolaidd yn ôl Defodau Barddas oddiar Maen Gorsedd ar lan Taf fod Gorsedd Beirdd Ynys Prydain' i'w chynnal. Blwyddyn yn ddiweddarach, Alban Hefin 1850, fe gynhaliwyd, yn unol â'r bwriad, yr hyn a alwyd yn y wasg yn 'Eisteddfod Orseddawg yn ôl Braint a Defod Beirdd Cyntefigion Ynys Prydain' ... 'o fewn llys Ceridwen a dadblygion y Sarff dorchog ar lan y Taf, ger tref Pontypridd'. Enwau eraill a ddefnyddai am ei Orsedd oedd 'Cawell Ceridwen y Gwyddoriau' a 'Gorsedd Hu', y naill enw oherwydd y cyfeiriad at Ceridwen yn Chwedl Taliesin a'r llall oherwydd yr honiad mai gŵr o'r enw Hu Gadarn a ddug genedl y Cymry i wladychu yng Nghymru yn y cynoesoedd.

Gorymdeithiodd y 'beirdd trwyddedog ac yn eu plith Ieuan Myfyr [Myfyr Morganwg] a gariai'r cleddyf, Gwilym Ilid, Nathan Dyfed, Dewi Haran a Ioan Emlyn ynghyd â phersonau anrhydeddus eraill ... yr ofyddion a'r llenorion cyfrifol eraill' o'r New Inn tua'r Orseddfa neu'r 'Cylch Cynghrair' yng nghysgod baner wen 'oreurog' ac arni arwyddair Castell Rhaglan, 'Deffro mae'n ddydd', baner Gorsedd Beirdd Ynys Prydain o liw asur ac arni y Nod Cyfrin mewn lliw euraid a'r arwyddair, 'Y Gwir yn erbyn y byd', baner Cadair Gwent a Morganwg o liw asur, gwyn a gwyrdd a baneri nifer o 'Gymdeithasau Cymreigyddol' Morgannwg a Gwent. Y distain a gadwai drefn ar yr orymdaith oedd Ieuan Grychgoch. Yn ei law roedd ffon a elwid 'Hudlath Fathonwy'. Wedi cyrraedd y meini 'aeth y beirdd ymlaen drwy ben ac ar hyd troadau'r sarff ac yn droednoeth o fewn cylch y meini gwynion ac esgyn Maen yr Orsedd'. Agorwyd yr Orsedd yn ôl 'defod y beirdd' gan Myfyr Morganwg. Adroddodd Weddi'r Orsedd, a dyma'r tro cyntaf i hyn ddigwydd mewn gorsedd, ac fe ganodd 'Folgant Gorsedd Beirdd Ynys Prydain' a Ieuan Grychgoch a Nathan Dyfed yn ei gynorthwyo. Un yn unig a gymeradwywyd gan y beirdd trwyddedig i'r Urdd Derwydd, sef David Rhys Stephens (Gwyddonwyson), gweinidog gyda'r Bedyddwyr yn Aber-carn. Urddwyd pump yn Feirdd yn cynnwys Evan James (Ieuan ab Iago), cyfansoddwr 'Hen Wlad fy Nhadau', a Thomas Davies (Dewi Wyn o Esyllt), a phymtheg yn Ofyddion. Wedi i Gomer, mab Gwilym Glan yr Afon, seinio'r Corn Gwlad, fe gyhoeddwyd bod gorsedd i'w chynnal yr Alban Hefin nesaf. Yna dychwelwyd i'r New Inn i giniawa, i glywed y dyfarniadau yn y cystadlaethau llenyddol ac i wrando ar y cystadlaethau canu'r delyn a'r unawdau.

Roedd gorseddau Myfyr Morganwg yn boblogaidd yn y blynyddoedd cyntaf. Fe'u mynychwyd hwy gan feirdd eraill megis Cynddelw, awdur Tafol y Beirdd (1853), Gwilym Mai, John Davies (Yr Hen Frychan) a oedd wedi'i urddo gan Iolo Morganwg, Evan Jones (Gwrwst) o Gas-bach a Iago Emlyn a urddwyd yn y Fenni ym 1838. Ym 1854 fe wnaeth Eben Fardd gais i gael ei urddo in absentia gan Myfyr Morganwg er ei fod eisoes wedi'i urddo gan Ieuan Glan Geirionydd yn Lerpwl ym 1840. Barnai Eben nad oedd 'unrhyw orsedd arall yn awdurdodol a rheolaidd i roddi y cyfryw urdd'. Ond tybed a oedd a wnelai ei ymddygiad â'r ffaith i Ieuan Glan Geirionydd ei guro yn Eisteddfod Rhuddlan ym 1850.

Yn sgrôl cyhoeddi gorsedd Alban Hefin 1855 'i Gymru oll' a ymddangosodd yn y wasg, disgrifir Gorsedd Cadair Morgannwg fel 'Gorsedd gyntefig a chlodfawr y GWIRIONEDD, yr HEDDWCH, y GODDEFGARWCH a'r RHYDDID' a Myfyr Morganwg fel 'Bardd Cyfrin ac Archdderwydd Ynys Prydain'. Derbyniai lythyrau oddi wrth Ab Ithel yn holi am ei 'gyfrinion' a gofyn iddo gyfrannu erthyglau arnynt i'w gylchgrawn arfaethedig *Y Gwyddon*. Gwnaeth Ab Ithel gais hefyd i'w urddo'n Ofydd, ond ei urddo'n Fardd a gafodd, a hynny *in absentia* yng ngorsedd Alban Hefin 1856. Danfonodd gopi o'r anerchiad ar 'Barddas' y bwriadai ei draddodi ynddi, yn dangos nad oedd 'dim mewn Barddas yn anghydweddol â Christionogaeth'. Yn rhan o'i anerchiad mae'n argymell y dylid cyfundrefnu Beirdd Ynys Prydain, y dylid cyhoeddi cylchgrawn 'i gadw ar gof a chadw weithrediadau'r Orsedd', cadw cofnodion cyflawn a chael cyllid wrth gefn.

Erbyn 1856 roedd ymosod cyson ar syniadau derwyddol Myfyr Morganwg ac Ab Ithel yn y wasg, er mawr ddifyrrwch ac ymffrost i Ab Ithel. Gelwid dilynwyr Myfyr Morganwg, ie, gan Orseddogion, yn 'bac o wallgofiaid', a defodau Trwn y Sarff yn 'senile mummeries' a 'puerilities'. Ond ni fennodd hyn ar feddwl Glasynys a'r Estyn a gafodd eu hurddo gan Myfyr Morganwg ym 1857. Dechreuodd y Parch. Henry Oliver, gweinidog yr Annibynwyr ym Mhontypridd, ymosod ar orseddau'r Maen Chwŷf yn ei bregethau, a chollodd gorseddau'r Maen Chwŷf eu poblogrwydd yn lleol. Cododd Myfyr Morganwg gylch orseddol arall wrth Ffynnon-y-gog ar y mynydd rhwng Aberdâr a Throed-y-rhiw, ond fe'i drylliwyd gan 'ryw ddynion drygionus a maleisus'.

Wedi ymweliad Myfyr Morganwg ag Eisteddfod Fawr Llangollen 1858 a'r ymosod a fu ar ei syniadau gan Thomas Stephens, Gweirydd ap Rhys, Creuddynfab, Huw Tegai a Nefydd yng Nghyfarfodydd y Beirdd, anaml y gwelid ef mewn eisteddfodau. Pan sefydlwyd Cyngor yr Eisteddfod Genedlaethol ym 1860 gwahoddwyd Ap Ithel i weithredu ar y Cyngor ond nid Myfyr Morganwg. A phan benderfynodd Cymdeithas Cymreigyddion Tafarn y Carw Coch, Trecynon anfon dirprwyon i gyfarfod o'r Cyngor yn Amwythig i drafod y bwriad o gynnal yr Eisteddfod Genedlaethol gyntaf yn Aberdâr, nid oedd Myfyr Morganwg a oedd yn aelod o Gymdeithas y Carw Coch yn un o'r dirprwyon, ac ni wahoddwyd ef i gynnal gorsedd yn yr Eisteddfod honno ychwaith er ei fod yn bresennol ar y llwyfan yn agoriad yr Eisteddfod. Parhaodd ef a'i ddilynwyr prin, 'men of no religion' erbyn hyn, yn ôl Morien, i gynnal gorseddau ar y Maen Chwŷf yn gyson bob blwyddyn hyd at 1879, ac ymosodai ef yr un mor gyson yn y wasg ac yn ei lyfrau ar y gorseddau a gynhelid yn yr eisteddfodau cenedlaethol gan eu galw yn rhai ffug.

Gwneuthurwr clociau ydoedd wrth ei alwedigaeth, ond roedd hefyd yn awdur nifer o lyfrau yn ymwneud â derwyddiaeth a Barddas. Dysgai fel llawer o ddysgodron eraill ei gyfnod fod Cristnogaeth wedi'i sylfaenu ar Hindŵaeth ac nad oedd Hindŵaeth yn ddim byd amgenach na ffurf ar Dderwyddiaeth a ledaenodd i'r India yn y cynoesoedd o flaenau afon Ewffrates a gwlad Armenia lle y gorffwysodd Arch Noah wedi'r Dilyw, a chytunai pawb o'r Cymry ymron mai disgynyddion i un o feibion Noah oedd y Gomeriaid, sef y Cymry. Am fod y Maen Chwŷf yn siglo fel llong neu arch Noah ar Fynydd Ararat, fe newidiodd ei enw i 'Maen Arch'.

Bu farw Myfyr Morganwg mewn tlodi yn 89 oed ym Mhontypridd ym 1888 wedi iddo fod yn rhannol ddibynnol am ei gynhaliaeth yn ei henaint ar haelioni yr Arglwydd Bute.

*   *   *

Ysgrifennydd cyntaf Pwyllgor Cyffredinol yr Eisteddfod Genedlaethol newydd oedd E. W. Gee *(Iorwerth Clwyd)* o Ddinbych a urddwyd yn Fardd yn Eisteddfod Dinbych 1860, a'r trysorydd oedd David Williams *(Alaw Goch)*, perchennog pyllau glo o Drecynon, Aberdâr, undodwr ac arweinydd bywyd llenyddol Cwm Cynon a oedd wedi'i urddo'n aelod o Orsedd y Beirdd gan Cawrdaf yng ngorsedd y Bontfaen ym 1839. O'r pedwar ar hugain a alwyd i'r llwyfan fore cyntaf yr eisteddfod roedd ugain ohonynt yn Orseddogion. Cafwyd gorymdaith i Gylch yr Orsedd yng Nghwm Hirwaun a llywyddwyd y seremoni gan Clwydfardd. Arholwyd yr ymgeiswyr am urddau yn llym yn ystod yr wythnos gan ddeg arholwr, a bu'n rhaid i Nicander hyd yn oed, ac yntau yn gynharach yn yr wythnos wedi cipio'r Gadair, fynd 'o dan arholiad'. Clwydfardd a weinyddai seremoni'r cadeirio hefyd. Arweiniwyd Nicander i'r Gadair gan Huw Tegai a Ioan Emlyn. Daliwyd cleddyf uwch ei ben ac fe'i cyfarchwyd gan Clwydfardd, Alaw Goch, Cynddelw, Huw Tegai, Ioan Emlyn a Ioan Cynllo.

Er i Gwalchmai lywyddu yng ngorsedd gwrtheisteddfod Conwy, ef a ddewiswyd yn un o arweinyddion Eisteddfod Genedlaethol Caernarfon, 26–29 Awst 1862, ac yn llywydd ei gorsedd, gan ddiogelu rhan a chyfran Gorsedd Cadair Gwynedd am y tro yn y gweithgaredd a'r drefniadaeth genedlaethol newydd. Ar faes yr eisteddfod y cynhaliwyd yr orsedd. Gorymdeithiodd y Gorseddogion yno yn fanerog gyda chynrychiolwyr o wahanol gymdeithasau'r cyffiniau yn ymuno â hwynt. Seiniwyd y Corn Gwlad a darllenodd Gwalchmai y sgrôl cyhoeddi, meddir yn yr adroddiadau, o'r 'Maen Llog', enw ar Faen yr Orsedd a welir yn *Heroic Elegies*, William Owen (Pughe) ac yn llawysgrifau Iolo Morganwg, ond un y bu Gorseddogion yn hwyrfrydig i'w ddefnyddio. Darllenwyd Gweddi'r Orsedd yn Gymraeg gan Glan Aeron ac yn Saesneg gan Meilir Môn, a chyflawnwyd defod y cleddyf gan Gwalchmai, Clwydfardd a Caledfryn. Cafwyd cainc ar y delyn gan

Eos Meirion a chân gan y côr dan arweiniad Llew Llwyfo. Cynhaliwyd arholiadau cerdd dafod a cherdd dant i'r ymgeiswyr am urddau a dau sesiwn gorseddol i urddo Beirdd, Ofyddion a Derwyddon ac yn eu plith oedd Dewi Ogwen, Gethin, Trebor Mai, Taliesin o Eifion, Llew Llwyfo, Brinley Richards ac Ambrose Lloyd. Bardd y Gadair oedd Hwfa Môn. Arweiniwyd ef i'r llwyfan gan Caledfryn, Clwydfardd ac Alaw Goch. Defnyddiwyd yr un gadair i'r seremoni â'r un a ddefnyddiwyd yn eisteddfodau Caernarfon 1821 ac Aberffraw 1849. Cyfarchwyd y bardd buddugol gan nifer o feirdd a chanwyd cân y cadeirio gan J. Williams, Bodafon.

Roedd y drydedd Eisteddfod Genedlaethol i'w chynnal yn Abertawe o'r 1–4 Medi 1863. Wedi deall hyn, fe drefnodd Gorseddogion Cadair Gwynedd wrtheisteddfod arall a'i galw'n 'Eisteddfod Gadeiriol' i'w chynnal yn y Rhyl brin wythnos yn gynharach, sef 25–27 Awst, a bu cryn feirniadu arnynt am wneud. Llywydd yr eisteddfod oedd Syr Watkin Williams Wynn a'r arweinwyr oedd Tanymarian a Gwrgant. Agorwyd yr eisteddfod yng Nghylch yr Orsedd gan Gwrgant ac ef a adroddodd Weddi'r Orsedd. Ni ddaeth Clwydfardd na Gwalchmai ar gyfyl yr eisteddfod. Ni welwyd cofnod am y rhai a urddwyd, ond fe wyddys bod trefniadau wedi'u gwneud i arholi ymgeiswyr ac mai Bardd y Gadair oedd Ap Vychan a arweiniwyd i'r gadair mewn gŵn gwyrdd gan Caledfryn, Cynddelw a Gwrgant.

*   *   *

Diwrnod olaf yr eisteddfod darllenodd Gwilym Cowlyd, cadeirfardd Gwrtheisteddfod Conwy, anerchiad yn clodfori Gwrtheisteddfod y Rhyl. Roedd ymddygiad o'r fath i'w ddisgwyl ganddo, oherwydd tair wythnos yn gynharach, sef 3 Awst, roedd ef ei hunan ac ychydig o Orseddogion eraill, yn cynnwys I. D. Ffraid, Absalom Fardd, Llew Llwyfo, Dewi Arfon, Trebor Mai a Gethin, wedi cynnal gwrthorsedd ar lan Llyn Geirionnydd uwchlaw Trefriw, a'i galw Gorsedd Taliesin. Roedd y garfan yma o Feirdd wedi hen flino ar seisnigeiddrwydd yr eisteddfodau newydd a'u gorseddau ac wedi'u cythruddo gan y Gorseddogion hynny a fynnai roi'r Gadair am bryddest yn hytrach nag am awdl a chynnal yr eisteddfodau ar yn ail yn y de a'r gogledd.

Pwysleisiai Gwilym Cowlyd mai iaith Taliesin Ben Beirdd a chystadlaethau yn y mesurau caeth cynganeddol a chanu crwth a thelyn yn unig a ganiateid yng Ngorsedd Taliesin, ac roedd lle canolog i gyfansoddi byrfyfyr. Mabwysiadodd y teitl 'Prifardd Pendant', teitl a welodd yn llawysgrifau Iolo Morganwg, i'w ddisgrifio'i hun fel pennaeth y sefydliad, a chydag amser arferai'r teitlau 'Prif Dderwydd' ac 'Archdderwydd' wrth gyflwyno'r llywyddion a ddewisai i weinyddu'r defodau. Yn y dechrau roedd i wrthgilio Gwilym Cowlyd ryw gymaint o apêl, ac fe gafodd ganlynwyr ffyddlon. Mynnodd

7. Gorsedd Taliesin ar lan Llyn Geirionnydd. Fe'i sefydlwyd ym 1863.

ailenwi ei Orsedd 'Cadair Barddol Tywysogaeth Cymru, nid amgen Cadair Warantiedig Gwynedd, Môn, Manaw a Phowys ac Is Conwy' gan gyhoeddi nad oedd gan Orsedd 'gyfeiliornus' yr Eisteddfod Genedlaethol unrhyw awdurdod yng Nghymru na Gorsedd y Maen Chwŷf unrhyw awdurdod ac eithrio yng Ngwent. Honnai hefyd fod i'w Orsedd swyddogaeth grefyddol arbennig. Hi oedd 'Offeiriadaeth y Cyntafanedig, Gorsedd Barddas Iesu Grist'. Ac yntau'n drigain oed, derbyniodd fedydd esgob a cheisiodd rwydo esgobion o'r Eglwys Anglicanaidd yng Nghymru a Lloegr i mewn i'r Orsedd. Wedi methu denu'r rheini, fe wahoddodd Ficer Apostolaidd Cymru a'r Prif Rabbi Iddewig. Ym 1896 cyhoeddodd ddatganiad Saesneg yn galw Gorsedd yr Eisteddfod Genedlaethol yn 'counterfeit fabrication or fraudulent imposition'. Sicrhaodd hefyd gan Ystad Gwydyr hawl gyfreithiol i gynnal ei Orseddau ar lan Llyn Geirionnydd 'am byth'. Erbyn troad y ganrif, ac yntau wedi cynnal ei orseddau am ddeugain mlynedd, roedd Gwilym Cowlyd wedi colli golwg ar yr amcanion gwreiddiol ac wedi colli ei hen ymlynwyr. Dechreuodd anfon rhybuddion allan yn Saesneg, hyd yn oed i Gymry Cymraeg, a chyhoeddi tystysgrifau ymaelodi

33

8. Sylfaenydd Gorsedd Taliesin, sef W. J. Roberts (*Gwilym Cowlyd;* 1828–1904), a rhai o'i ddilynwyr yn cynnwys Thomas Roberts (*Scorpion*), Owen Gethin Jones a Robert Williams (*Trebor Mai*).

Saesneg gan alw ei Orsedd 'The Bardic Fraternity of Glan Geirionnydd and Warranted Gorsedd & Chair of Welsh Bardism'. Danfonwyd y 'gwŷs a'r gwahodd' olaf allan ym 1904 yn cyhoeddi bod Penfro, Offeiriad Llansanffraid Dyffryn Conwy yn bwriadu 'conffirmio henaduriaid' ar 'Fryn y Caniadau' ar lan y llyn, gan roi i ddefod Gorsedd Taliesin arwyddocâd Anglicanaidd a Phatriarchaidd. Ond roedd Gwilym Cowlyd erbyn hyn yn rhy lesg i ymgodymu â'r llwybrau serth i gyrrau'r llyn, ac ni chynhaliwyd yr orsedd. Ym mis Rhagfyr y flwyddyn honno bu farw'r Prifardd Pendant a chydag ef Orsedd Taliesin.

*   *   *

Er yr holl ymrannu o fewn y rhengoedd gorseddol, nid yw'n ymddangos i hyn ddrygu Gorsedd yr Eisteddfod Genedlaethol. Cydymffurfio a wnaeth y rhan fwyaf o'r Gorseddogion maes o law. Daeth dyddiau cynnal eisteddfodau a gorseddau yn fympwyol, yn ddigynllun ac yn anarogan i ben, ac eithrio, efallai, am dymor yn y saithdegau, wedi i aelodau'r Cyngor a weithredai yn ymddiriedolwyr yr Eisteddfod Genedlaethol gael eu barnu'n fethdalwyr. Ond yn ystod y deng mlynedd cyntaf yn hanes yr Eisteddfod Genedlaethol profodd Gorsedd y Beirdd gyfnod o sefydlogrwydd a arweiniodd, mae'n wir, efallai, i ryw gymaint o unffurfiaeth ddiddychymyg ac ystyfnig yn y defodau yn y dechrau ond hefyd i gynnydd amlwg yn ei dylanwad yn y drefniadaeth eisteddfodol, ac yn eu gwelegigaeth ar faterion prydyddol, er gwaethaf y gostyngiad a fu yn nifer y Beirdd a wasanaethai ar Gyngor yr Eisteddfod dros y cyfnod.

Llywyddwyd gorsedd Eisteddfod Genedlaethol Abertawe, 1–4 Medi 1863, gan Dewi o Ddyfed a oedd bellach yn offeiriad ym Mhant-teg, Gwent, er bod Clwydfardd yn bresennol. Arholwyd ymgeiswyr ac urddwyd aelodau newydd yn y cylch mewn dau sesiwn. Ond ar lwyfan yr eisteddfod yr urddwyd Llywydd y Dydd, Esgob Thirwall, Tyddewi, Sais y dywedir iddo ddysgu Cymraeg.

Mae'n ymddangos mai Gwalchmai, a drigai yn Llandudno, a aeth yn gyfrifol am godi'r cylch ar gyfer gorsedd Llandudno ar 23 Awst 1864, ac ef a weinyddai'r seremonïau lle'r urddwyd Creuddynfab, cyn-ysgrifennydd Cyngor yr Eisteddfod Genedlaethol a chredwr digyfaddawd mewn arholi, yn Fardd, a Tanymarian yn Bencerdd, ac y dyrchafwyd y Parch. J. Morgan, Llandudno, i'r Urdd Archdderwyddol newydd.

Yng ngorsedd Eisteddfod Aberystwyth, 12–15 Awst 1865, urddwyd saith cerddor gan Clwydfardd, yn cynnwys Joseph Parry (Pencerdd America) a David Lewis (Dyganwr), Llanrhystud.

Nid oes tystiolaeth bod gorsedd urddo wedi'i chynnal yn eisteddfod seisnigaidd Caer, 1866. Roedd y flaenoriaeth wedi'i rhoi i gyfarfodydd y 'Social Science Section', ond yng Nghyfarfod y Beirdd darllenwyd papur gan un o'r Gorseddogion, Peter Mostyn, ar 'Yr Eisteddfod'. Awgrymodd y dylid rhoi'r Gadair naill ai am awdl yn y pedwar mesur ar hugain neu am bryddest yn y mesurau rhydd yn eisteddfodau'r dyfodol. Cafwyd trafodaeth, ond rhanedig oedd barn y Beirdd, a ffurfiwyd is-bwyllgor o Orseddogion i baratoi adroddiad, yr argymhellion i'w dwyn gerbron Cyfarfod y Beirdd yn Eisteddfod Caerfyrddin 1867. Awgrymodd Peter Mostyn y dylid ychwanegu at y pynciau y gallai ymgeiswyr am urddau gael eu harholi ynddynt, a diwygio'r Urddau, gan ddileu'r Urdd Derwydd a roddid i offeiriad a gweinidogion. Bardd y Gadair oedd Ap Vychan. Cyflwynwyd iddo gadair dderw yn hytrach na'r tlws arferol.

Seisnigrwydd eisteddfodau'r Cyngor a barodd i nifer o eisteddfodwyr y deheubarth, gyda chefnogaeth Gwenynen Gwent, gynnal gwrth-eisteddfod, 'Eisteddfod y Cymry', yng Nghastell-nedd ym 1866. Bu'n fethiant a chafwyd colled ariannol.

Yng Nghyfarfod y Beirdd Eisteddfod Caerfyrddin, ailagorwyd y ddadl ar bwnc yr awdl a'r bryddest, a derbyniwyd yn unfrydol gynnig Tydfylyn: 'Fod yr Awdl i sefyll fel y mae a bod urdd newydd i gael ei ffurfio i'r Bryddest, a hon yn urdd goronog, – yr Awdl a'r Bryddest i gael eu hystyried yn ogyfuwch mewn anrhydedd, a'r ddwy i fod yn mhob Eisteddfod Genedlaethol'. Yn yr orsedd a ddilynodd, cyhoeddodd Hwfa Môn, y Bardd Llywyddol, benderfyniad y Cyfarfod 'yn wyneb haul a llygad goleuni'. Llywyddwyd ail sesiwn yr orsedd gan Cynddelw a Ceiriog pryd y dyrchafwyd Alltud Eifion yn Dderwydd. Methodd beirniaid yr awdl, Caledfryn a Cynddelw, â chytuno yn eu dyfarniad, a galwyd ar Ceiriog i dorri'r ddadl. Cadeiriwyd Rhydderch o Fôn. Defnyddiwyd mwy nag un cleddyf yn y seremoni gadeirio, ac wrth weinio'r cleddyfau, meddai gohebydd *Y Faner*, galwyd ar y gynulleidfa i ymateb i'r cwestiwn 'A oes Heddwch?', peth nad arferid ei wneud gynt.

Er bod tair cystadleuaeth 'bryddestawl' yn Eisteddfod Genedlaethol Rhuthun 1868, fel yn Eisteddfod Caerfyrddin, ni chynigiwyd Coron yn wobr er gwaethaf argymhelliad y Gorseddogion. Yng ngorsedd Rhuthun gweinyddwyd y seremoni gan Talhaiarn a Trebor Mai, ond bychan oedd nifer yr ymgeiswyr llwyddiannus am urddau, gan i gymaint ohonynt fethu 'rhoi profion diymwad eu bod yn eu haeddu'.

Roedd Eisteddfod Genedlaethol y flwyddyn ddilynol, 1869, i'w chynnal yn Aberhonddu, ac fe'i cyhoeddwyd, ond aeth Cyngor yr Eisteddfod i drafferthion ariannol a gwrthododd y Pwyllgor Lleol fynd ymlaen â'r trefniadau.

1869–1880

Eithr roedd cynlluniau ar y gweill yn fuan wedyn i gynnal dwy eisteddfod yn niwedd Awst yr un flwyddyn 1869, y naill yn Nhreffynnon a'r llall yn Llannerch-y-medd. Er nad oedd a wnelai'r Cyngor yn uniongyrchol â threfnu'r gyntaf, darbwyllodd Peter Mostyn, ysgrifennydd olaf y Cyngor, brif gantorion Eisteddfod Treffynnon 1869 i roi eu gwasanaeth am ddim a bod elw'r eisteddfod i fynd i'r Cyngor. Ond nid oedd haelioni artistiaid a phwyllgor Treffynnon yn ddigon i arbed y Cyngor rhag methdaliad llwyr, ac fe beidiodd y Cyngor â gweithredu.

Teitl llawn Eisteddfod Treffynnon oedd 'Eisteddfod Goronog Treffynnon', a hynny 'oblegid fod y prif-fardd buddugol i'w anrhydeddu drwy osod coron ar ei ben yn hytrach na'i osod mewn cadair dderw yn ôl y ddefod gynt'. Enillwyd y Goron gan y Parch. R. Mawddwy Jones, Bagillt, am bryddest ar y testun 'Marwnad i'r Parch. H. Pugh, Mostyn'. Cyrchwyd ef i'r llwyfan i sain côr yn canu 'See the conquering hero comes', cân a fabwysiadwyd yn nefod y Cadeirio a'r Coroni yn ddiweddarach. Arwisgwyd ef gan lywydd y seremoni, Tanymarian, ond nid 'yn ôl braint a defod Beirdd Ynys Prydain'. Nid oedd neb o'r prif Orseddogion yn bresennol, digon tebyg, o fwriad.

Cafwyd deng mlynedd o brofiad o'r chwyldro canoli, ond ni laddodd hyn awydd a phenderfyniad y Gorseddogion i barhau i gynnal eu gwyliau traddodiadol. Yn ystod y saithdegau, Beirdd Ynys Prydain, urddolion yr Orsedd a drefnai'r eisteddfodau a ddisgrifir gan amlaf yn y wasg fel eisteddfodau cenedlaethol, er mai yn y gogledd y cynhaliwyd y rhan fwyaf ohonynt.

Yr Eisteddfod 'Genedlaethol' gyntaf o bwys i'w chynnal yn y blynyddoedd 1869–80 oedd Eisteddfod Llannerch-y-medd, 20 Awst 1869. Llywyddwyd ei Gorsedd gan Meilir Môn a'i gynorthwyo gan Clwydfardd, Gwalchmai a Llanerchydd, ac urddwyd Beirdd, Derwyddon ac Ofyddion yn cynnwys y Thesbiad a Cadwaladr. Dywedir yn yr adroddiadau swyddogol fod Meilir Môn yn gwisgo 'sash yr archdderwydd' yn y tair seremoni. Roedd Bardd y Gadair, sef Mynyddog, yn absennol, a chadeiriwyd John Jones, Tyn-y-braich, Dinas Mawddwy yn ei le, 'yn ôl braint a defawd Beirdd Ynys Prydain'.

Un o 'gywion Dafydd Ddu Eryri', ond bellach un o 'geidwaid anrhydedd Barddas', sef Owain Williams *(Owain Gwyrfai),* oedd Bardd Llywyddol gorsedd Eisteddfod Gadeiriol Eryri, Tremadog 1872. Cyfarfu'r orsedd ddwywaith mewn cylch ar Ynysfadog. Ynddi urddwyd Syr Watkin Williams Wynn, A.S. a Cynhaearn.

Mae gorsedd Eisteddfod yr Wyddgrug, 19–22 Awst 1873, yn hanesyddol bwysig oherwydd ynddi ymddangosodd 'y beirdd mewn gwisgoedd' gorseddol, y Beirdd mewn gwisg las a'r Ofyddion mewn gwisg werdd. Gweinyddwr y defodau oedd Yr Estyn, un o drefnyddion Eisteddfod Fawr Llangollen. Ymysg y rhai a urddwyd oedd y cerddor John Curwen a hefyd J. H. Jones *(Ieuan Ddu)* a gyhoeddodd yn ddiweddarach erthygl yn *Y Cymru* yn mynegi amheuaeth parthed hynafiaeth Beirdd Ynys Prydain. Ond urddwyd nifer nad oeddynt, i dyb rhai Gorseddogion, yn teilyngu Urdd o fath yn y byd.

Cynddeiriogwyd Ceiriog a Mynyddog gan y duedd gynyddol i urddo rhai annheilwng, a phenderfynwyd ffurfio 'brawdoliaeth' arbennig o Orseddogion dewisol, a'i galw Urdd y Ford Gron, i ddiogelu yn bennaf safon a gwerth yr urddau. Gosodwyd i lawr nifer o reolau, megis gwrthod urddau i ymgeiswyr oni byddent wedi'u cymeradwyo gan dri arholwr, bod pob beirniadaeth lenyddol i'w chyhoeddi yn y wasg, bod pob cais i gynnal eisteddfod i'w ystyried gan aelodau'r Ford Gron, a bod yr aelodau hynny i archwilio cyfrifon pob eisteddfod. Cynhelid seremoni ddirgel, a oedd yn frith o gyfeiriadau Ioloaidd a ffug hanesyddol, i dderbyn aelodau.

Dechreuodd y Frawdoliaeth weithredu gyda threfnu a chyhoeddi Eisteddfod Wrecsam 1876. Digwyddodd y cyhoeddi Sulgwyn 1875 yng ngofal prif aelodau'r urdd, Gorseddogion Powys bob un, sef Yr Estyn, Ceiriog, Iolo Trefaldwyn ac Andreas o Fôn. Lluniwyd maes llafur a threfnwyd bod yr arholiadau i'w cynnal wythnos yr eisteddfod, ac mai aelodau o'r Ford Gron yn unig oedd i lywio'r gweithgareddau. Yn y gorseddau a lywyddwyd gan Yr Estyn gyda Ceiriog yn gweithredu fel

Arwyddfardd ac yn cyflwyno'r ymgeiswyr llwyddiannus am urddau, beirniadwyd y Ford Gron gan Dr. Evans *(Tudur)* o Lannerch-y-medd, un o'r siaradwyr, am ymyrryd ym mhriod faes yr Orsedd. Atebwyd ef yn y man a'r lle gan Yr Estyn a fynnai fod y Brenin Arthur wedi rhoi cyfrifoldeb am yr eisteddfod i Farchogion y Ford Gron! Enillydd Cadair yr eisteddfod oedd Taliesin o Eifion, a fuasai farw ychydig cyn yr eisteddfod. Ar gyfer y seremoni, gwisgai Mynyddog, gweinyddwr y ddefod, a gweddill y Beirdd 'arwydd o alar'. Cyn ymadael â Wrecsam cyhoeddwyd mai yng Nghaernarfon y cynhelid yr eisteddfod nesaf, a hynny ar 21 Awst 1877.

Ni chafodd y Ford Gron ei ffordd ei hun yn gyfan gwbl yng Nghaernarfon. Yno rhannwyd y cyfrifoldebau. Cynhaliwyd y cynulliad cyntaf yn enw 'Gorsedd Gwynedd, Môn a Manaw' ar lawnt y castell o dan arweinyddiaeth Clwydfardd, a chynorthwywyr oedd aelodau'r Ford Gron. Yn yr ail sesiwn Yr Estyn oedd yn llywyddu. Darllenodd Weddi'r Orsedd a rhai o Drioedd Pawl. Ond ar gyfer y cadeirio trosglwyddwyd y llywyddiaeth i Clwydfardd.

9. John Ceiriog Hughes (1832–87) sylfaenydd Cymdeithas y Ford Gron.

Ym mis Medi 1878, cynhaliodd Beirdd Ynys Prydain orsedd yn Llandrindod wedi iddynt gael rhyw addewid am eisteddfod yn y dref honno ym 1879. Roedd cynrychiolaeth o ugain o'r prif Orseddogion yn bresennol, yn cynnwys Clwydfardd, Gwalchmai a Hwfa Môn. Un aelod amlwg o'r Ford Gron a welwyd yno, sef Ceiriog. Ond am ryw reswm neu'i gilydd ni chynhaliwyd yr eisteddfod. Ond cafwyd tair eisteddfod bwysig y flwyddyn honno.

Roedd delwedd y Ford Gron i'w gweld yn amlwg ar weithgareddau Eisteddfod Genedlaethol Penbedw, 1879, a'i gorsedd. Gelwid hi Eisteddfod Cadair Arthur, a bathwyd enwau newydd ar gyfer y rhai a gymerai ran yn yr orsedd, megis 'Marchogion yr Orsedd' ac 'Yswain yr Orsedd'. Yn ychwanegol at gynnal yr arholiadau arferol am urddau cynigiodd y Ford Gron wobrau i'r goreuon o'r ymgeiswyr o dan 20 oed mewn arholiadau iaith a hanes.

Yr un flwyddyn cynhaliodd Gwilym Cowlyd eisteddfod genedlaethol yng Nghonwy, gan ymddiried yr arholi i'r Ford Gron. Ond roedd yn amharod i ildio'r cyfrifoldeb am urddo'r ymgeiswyr llwyddiannus. Gwnaeth hynny ei hunan.

Trydedd eisteddfod y flwyddyn honno oedd Eisteddfod Gadeiriol Deheudir Cymru Caerdydd. Ei noddwyr oedd Arglwydd Aberdâr, Charles Morgan (Ail Farwn Tredegyr) a'r Iarll Plymouth. Fe'i cynhaliwyd heb ymgynghori ag unrhyw gorff gorseddol. Gwahoddwyd Llew Llwyfo i arwain yr eisteddfod ac i weinyddu seremoni'r cadeirio. Cafwyd defod y cleddyf gyda chymorth Nathan Dyfed a'r Dr. Thomas Price o Aberdâr wrth gadeirio Gurnos, ond ni chlywyd y geiriau 'yn ôl braint a defod Beirdd Ynys Prydain' o enau Llew Llwyfo.

Erbyn hyn, roedd y dasg o oruchwylio'r mudiad eisteddfodol wedi profi'n ormod i'r Ford Gron, ac fe'i beirniadwyd am ei haneffeithiolrwydd, ac roedd Cymdeithas y Cymmrodorion, Llundain ym mis Ebrill 1880 wedi penderfynu, ar gynnig Hugh Owen, sefydlu Cymdeithas yr Eisteddfod Genedlaethol i 'fod yn gyfansoddedig o danysgrifwyr ac aelodau mygedol, sef y rhai ydynt wedi eu hurddo yn rheolaidd yn ngorsedd, neu yn teilyngu eu hanrhydeddu', ynghyd â Phwyllgor Gwaith i'w alw wrth yr enw Cyngor yr Eisteddfod Genedlaethol.

Fe anwybyddwyd y Gymdeithas gan drefnwyr Eisteddfod Gadeiriol Deheudir Cymru, Abertawe, Awst 1880. Trefnasant eu harholiadau eu hunain, cyhoeddi maes llafur a thystysgrifau gan ennill cymeradwyaeth gwrthryfelwyr fel Gwilym Cowlyd. Llywyddwyd seremonïau'r Orsedd yn y ddau gyfarfod gan y Derwydd, Glanffrwd, Bardd yr eisteddfod, mewn cylch a osodwyd i lawr o flaen The Royal Institute. Cynorthwyid ef gan nifer o Orseddogion y de, yn cynnwys Dafydd Morganwg a Dewi Wyn o Esyllt, Bardd Cadeiriog yr Eisteddfod. Glanffrwd hefyd a weinyddai ddefod y cadeirio, ac mae'n amlwg ei fod wedi'i threfnu'n ofalus, oherwydd cafwyd seremoni urddasol, yn ôl yr adroddiadau, gyda Glanffrwd yn llywyddu, yr utganwr, y rhingyll, ceidwad y cledd, y telynor, naw o Feirdd yn cyfarch, Miss Mary Davies yn canu cân y cadeirio a'r seindorf yn canu 'See the conquering hero comes'. Adroddir bod Glanffrwd wedi gofyn 'A oes Heddwch?' deirgwaith a bod yr osgordd a'r dorf wedi ymateb deirgwaith.

Yr un flwyddyn cynhaliwyd Eisteddfod Caernarfon, ond fe'i cyhoeddwyd mewn gorsedd a gynhaliwyd ar Sgwâr y Castell ar 24 Hydref 1879. Yng nghyfarfod mis Ebrill 1880 o'r pwyllgor lleol trafodwyd y posibilrwydd o gynnal arholiadau'r Orsedd cyn wythnos yr eisteddfod, a chyhoeddwyd maes llafur. Ond digon blêr a marwaidd, yn ôl yr adroddiadau yn y wasg, oedd y cynulliadau gorseddol o dan lywyddiaeth Clwydfardd. Cyrhaeddodd Clwydfardd dri chwarter awr yn hwyr i'r orsedd agoriadol, pryd yr anerchwyd gan Dewi Wyn o Esyllt ac yntau'n gynharach wedi'i ddiarddel o Orsedd y Maen Chwŷf gan Myfyr Morganwg am gystadlu mewn eisteddfodau am arian. Edrydd y wasg hefyd fod Syr John Rhŷs wedi annerch y gynulleidfa yn y pafiliwn 'ac roedd ychydig bersonau yn ddigon dienaid a diamynedd i'w guro i lawr'. Yn unol â datganiad Hwfa Môn yng ngorsedd Eisteddfod Caerfyrddin 1867 coronwyd Ellis Wyn o Wyrfai am ei bryddest a chadeiriwyd W. B. Joseph (Y Myfyr) am ei awdl, y ddau ohonynt 'yn ôl braint a defod Beirdd Ynys Prydain'. Cynhaliwyd cyfarfod arbennig ar y maes i drafod cynllun Cymmrodorion Llundain a olygai adael yr awenau eisteddfodol yn nwylo Llundeinwyr. Gwrthodwyd y cynllun a dewiswyd pwyllgor dros-dro o aelodau o'r Cymmrodorion a nifer o Orseddogion. Cyfarfu'r pwyllgor yn

Amwythig a phenderfynwyd ffurfio Cymdeithas yr Eisteddfod a phenodi T. Marchant Williams yn ysgrifennydd mygedol, E. Vincent Evans yn ysgrifennydd gweithredol, a chynnal yr Eisteddfod Genedlaethol gyntaf o dan y drefn newydd ym Merthyr Tudful ar 29 Awst 1881.

1881–1888

Nid oedd neb wedi'i benodi i fod yn gyfrifol am osod cylch meini gorsedd Eisteddfod Aberdâr, a phrysurodd Vinsent wedi iddo gyrraedd yr ŵyl i hel ychydig gerrig i'w ffurfio. Fe'i ffurfiwyd hi, medd un awdur, 'yn y llwch wrth dalcen y farchnad' ac roedd y 'defodau agos i gyd yn nwylo Clwydfardd' a wisgai 'fathodyn mawr cymaint a thor llaw … a het ac ymyl mawr'. Watcyn Wyn a Dyfed oedd prifeirdd yr eisteddfod.

Nid yw'n ymddangos i gylch o feini gael ei osod o flaen llaw ar gyfer gorsedd Eisteddfod Dinbych 1882 ychwaith. Fe gynhaliwyd y seremonïau yng ngofal y 'Prifardd' Clwydfardd y tu mewn i furiau'r castell. Agorwyd yr orsedd â defod y cleddyf a galwodd y llywydd dair gwaith 'A oes Heddwch?' Adroddwyd Gweddi'r Orsedd gan Glan-ffrwd a'r holl gynulleidfa yn ei chydadrodd ar ei ôl. Arholwyd ymgeiswyr am urddau ac fe urddwyd y rhai llwyddiannus. Tlws aur, nid cadair dderw, a gyflwynwyd i Fardd y Gadair.

Eisteddfod Genedlaethol Caerdydd 1883, yn ôl barn golygydd *Yr Haul*, oedd yr un fwyaf trychinebus o safbwynt iaith a diwylliant, llenyddiaeth a cherddoriaeth y genedl a drefnwyd dan nawdd gwŷr Llundain. 'All the proceedings were carried on in the English language', medd yr adroddiad swyddogol. Neilltuwyd cwr o faes yr eisteddfod ar gyfer seremoni'r Orsedd, gyda ffair wagedd ar un ochr a rheilffordd brysur ar yr ochr arall. Bu anghytundeb rhwng beirniaid y bryddest, a dewiswyd Glanffrwd i dorri'r ddadl. Mrs Anne Thomas, gwraig Ficer Llandygái, oedd y buddugwr. Nid oedd neb yn deilwng o'r Gadair. Nid oes cofnod am seremonïau'r Orsedd yn yr adroddiad swyddogol, ond ynddo beirniedir honiadau Iolo Morganwg parthed hynafiaeth yr Orsedd gan ysgrifennydd y pwyllgor lleol.

Enw llawn Eisteddfod Lerpwl 1884 oedd 'Eisteddfod Genedlaethol, Cadair Arthur, Gorsedd Beirdd Ynys Prydain a Gŵyl Gerddorol Cymru'. Fe'i cyhoeddwyd ar 10 Tachwedd 1883 yn yr Athletic Grounds, Hall Lane, a chynhaliwyd gorsedd yn ystod yr ŵyl, 15–20 Medi 1884, ar Fryn Awstyn, Heol Shaw. Ymgymerodd Gwilym Alltwen â threfnu'r seremonïau gorseddol. Darparwyd gwisgoedd i'r prif Orseddogion, ffedogau a sashes o'r ysgwydd i'r ystlys wedi'u gwneud o sidan glas a'r nod cyfrin arnynt. Y Prifardd neu'r Bardd Llywyddol oedd

10. Gorsedd Eisteddfod Genedlaethol Dinbych 1882. Ar y Maen i'r chwith i'r delyn gwelir Gwilym Hiraethog a Clwydfardd ac ar y dde iddi saif Ceiriog.

Clwydfardd, y Bardd Gorsedd oedd Hwfa Môn a Cheidwad y Cledd oedd Ceiriog. Rhoddwyd cyfrifoldebau arbennig i rai gorseddogion, megis 'Ceidwaid y Porth', 'Ceidwaid y Maen Llog', y 'Beirdd Cyflwynedig' a'r 'Ysweiniaid'. Yn ôl Morien, pennaeth newydd Gorsedd y Maen Chwŷf, a oedd yn bresennol yng ngorsedd Lerpwl, roedd hi'n destun llawenydd bod 'mawrion Lerpwl yn talu gwrogaeth i'r Orsedd Farddol', a mawr obeithiai y gwelid 'ei hoffeiriaid hi unwaith eto yn ei harddwisgoedd offeiriadol'. Urddwyd nifer o lenorion a cherddorion yn ystod yr wythnos, a Dyfed a gyhoeddwyd yn Fardd y Gadair. Yn Saesneg y canwyd cân y cadeirio.

Yng ngorsedd agoriadol Eisteddfod Genedlaethol Aberdâr 1885 aed trwy ddefod y cleddyf gan lefain y cyswyneiriau a'r ymadroddion gorseddol 'Y Gwir yn erbyn y Byd', 'Llais uwch adlais a Llef uwch adlef', 'Duw a phob Daioni', 'Calon wrth Galon', 'A laddo a leddir' ar 'O Iesu, na'd gamwaith', a gofynnwyd y cwestiwn 'A oes Heddwch?' Ar yr achlysur yma y canodd Daniel Evans *(Eos Dâr)* am y waith gyntaf mewn seremoni orseddol. Ni welwyd yr un o'r Gorseddogion mewn

41

urddwisgoedd yn y seremonïau. Mewn cyfarfod o Gymdeithas yr
Eisteddfod o dan lywyddiaeth Clwydfardd a gynhaliwyd yn ystod yr
eisteddfod clywyd cais gan Gymry Llundain i gynnal yr Eisteddfod
Genedlaethol yn y ddinas ym 1887. Dadl Cymry Llundain oedd bod
Beirdd Ynys Prydain o'r cychwyn wedi cydnabod bod Llundain yn
perthyn i Gadair Morgannwg a Gwent, a chan mai tro de Cymru oedd hi
ym 1887 i roi cartref i'r eisteddfod nad amhriodol fyddai ei chynnal yn
Llundain y flwyddyn honno. Rhoddwyd ystyriaeth ffafriol i'r cais,
ac yn sesiwn olaf yr Orsedd, cyhoeddodd Clwydfardd mai yng
Nghaerludd y cynhelid Eisteddfod Genedlaethol 1887. Ar hynny fe
waeddodd Gwilym Cowlyd o gwr y Cylch nad oedd hawl gan Orsedd
fynd â'r eisteddfod y tu hwnt i Glawdd Offa. Atebodd Clwydfardd fod
ganddi hawl i fynd â'r eisteddfod i unrhyw ran o Gymru, Lloegr a
Llanrwst [libart Gorsedd Taliesin]. Ar lwyfan yr eisteddfod yn ystod yr
wythnos ymosododd J. C. Parkinson, aelod o'r Orsedd, mewn araith
Saesneg ddi-flewyn-ar-dafod, ar yr Orsedd gan ei galw'n 'pseudo-
historic lumber' a dweud, 'So far as is known, they say, Wales owes
nothing to the Druids.'

Yng ngorsedd Eisteddfod Genedlaethol Caernarfon ar 17 Medi 1886
urddwyd Arglwydd Faer Llundain, yr Henadur J. Stapleton, i'w alw
yng ngorsedd *Gwyddon.* Wedi iddo glywed yr enw barddol, caniataodd
Clwydfardd i Morien egluro o'r Maen Llog mai Gwyddon oedd teitl Prif
Ynad Prydain yn y cynfyd Celtaidd! Yna cyhoeddodd fod yr Orsedd

11. Gorsedd Eisteddfod
Genedlaethol Lerpwl 1884. Hwfa
Môn sy'n annerch o Faen yr
Orsedd ac oddeutu iddo gwelir
Gwalchmai a Clwydfardd. Mae
dylanwad y Seiri Rhyddion i'w
weld ar yr urddwisgoedd –
arbrawf a farnwyd wedyn yn
gwbl amhriodol.

wedi penderfynu edfryd yr 'hen urddau – Plennydd, Alawn a Gwron' a bod Clwydfardd, Gwalchmai a Hwfa Môn i arfer y teitlau.

Ar gyfer y cadeirio, yr arweinydd, Llew Llwyfo a alwai'r Beirdd i'r llwyfan ac ef a gyhoeddai ffugenw'r buddugwr, ond cyflawnwyd y ddefod gan Clwydfardd. Hwfa Môn a weinyddai seremoni'r coroni. Roedd pwyllgor yr eisteddfod wedi pwrcasu coron arian ar gyfer yr achlysur.

Ychydig cyn cyhoeddi 'Eisteddfod Genedlaethol y Cymry' Llundain 1887 gwahoddwyd y prif Orseddogion gan Gymdeithas Gymraeg y ddinas i wledd yn y Freemason's Tavern, a chafwyd cynulliad gorseddol yng Ngerddi'r Inner Temple a Clwydfardd yn llywyddu. Yng ngorsedd Eisteddfod Awst 1887, yn absenoldeb Clwydfardd, dirprwyai Hwfa Môn, a'r Gymraeg yn unig a ddefnyddiwyd yn y seremoni, 'er syndod i'r Hengistiaid'. Yn ei anerchiad condemniodd Hwfa Môn yr arfer camarweiniol o ddisgrifio eisteddfodau lleol fel rhai cenedlaethol. Testun yr awdl oedd 'Y Frenhines Victoria' a'r wobr oedd £40, tlws aur a chadair dderw. Y bardd cadeiriog oedd Berw. Cyfansoddwyd cân newydd y cadeirio gan Richard Samuel Hughes, ac i gloi'r seremoni canodd côr yr eisteddfod 'Rhyfelgyrch Gwŷr Harlech'. Enillydd y Goron oedd Cadfan. Cyflwynwyd tlws aur iddo gan Dywysog Cymru.

Cynhaliwyd yr orsedd i gyhoeddi Eisteddfod Wrecsam 1888 ar y Cae Ras ar 15 Medi 1887. Yng ngorsedd yr Eisteddfod ei hunan urddwyd Syr John Rhŷs a Syr Watkin Williams Wynn, ac yntau wedi gweithredu fel Llywydd yr Eisteddfod Genedlaethol am bum mlynedd, 1881–5. Hefyd cyflwynodd Philip Yorke o Erddig gleddyf seremonïol ac Edward Jones, Maer Pwllheli, Gorn Gwlad arian i'r Orsedd, offerynnau a ddefnyddiwyd yn ei seremonïau tan droad y ganrif. Cyn y ddefod cadeirio cyflwynodd y Fonesig Mary Watkin Williams Wynn dlws i'r bardd buddugol, Tudno. Penliniodd yntau o'i blaen wrth ei dderbyn. Diweddwyd y seremoni drwy ganu 'Hen Wlad fy Nhadau'.

Cyfundrefnu'n Genedlaethol (1888–1990)

Dros y blynyddoedd, fel y gwnaed yn amlwg eisoes, bu'r Gorseddogion, heblaw dibynnu i raddau pell ar rym traddodiad, arferiad ac ar yr hyn a elwid ganddynt yn 'awdurdod' a ymddiriedwyd iddynt o'r gorffennol, yn gweithredu ar brydiau yn ôl mympwy a brwdfrydedd aelod unigol a phryd arall yn unol ag argymhellion Cyfarfodydd y Beirdd, ond gan amlaf wedi cydymgynghoriad anffurfiol rhwng y prif Orseddogion, nes iddynt yn ystod Eisteddfod Genedlaethol Wrecsam 1888 ymffurfio'n Gymdeithas ac iddi bwyllgor a swyddogion etholedig a'i galw Cymdeithas yr Orsedd. Yn y cyfarfod cyntaf rhoddwyd cydnabyddiaeth swyddogol i 'Archdderwyddiaeth' Clwydfardd a oedd eisoes wedi mabwysiadu'r teitl Plennydd a hefyd i swyddogaeth Eifionydd fel Cofiadur. Penderfynwyd mai'r Gymraeg

12. Gorsedd Eisteddfod Genedlaethol Aberhonddu 1889. Sylwer ar y faner, maint cyfyngedig y cylch a lleoliad y meini.

13. David Griffith (*Clwydfardd*; 1800–94), llywydd gorseddau lawer ac Archdderwydd Gorsedd y Beirdd o 1888 hyd 1894.

14. Thomas Henry Thomas (*Arlunydd Pen-y-garn*; 1839–1915), Arwyddfardd Gorsedd y Beirdd 1895–1915.

oedd unig iaith y Gymdeithas, bod aelodaeth yn gyfyngedig i'r rhai a urddwyd cyn 1888, ym mha orsedd bynnag yr urddwyd hwynt, yn cynnwys Gorsedd Taliesin a'r Maen Chwŷf, ac i'r rhai a urddwyd o 1888 ymlaen yng Ngorsedd yr Eisteddfod Genedlaethol yn unig, mai yng Nghyfarfod Blynyddol y Gymdeithas y cytunid ar faes llafur arholi ymgeiswyr am urddau ac mai o blith beirniaid yr eisteddfod gyfredol y dewisid arholwyr. Yn fuan wedyn penderfynwyd cynnal yr arholiadau mewn canolfannau gwahanol ryw dri mis cyn yr Eisteddfod Gened-laethol a gofynnwyd i Elphin, cyfreithiwr mygedol y Gymdeithas, baratoi amlinelliad o gyfansoddiad i'r gymdeithas newydd.

Ym 1890 penderfynwyd na fyddai Cymdeithas yr Orsedd yn caniatáu cais i dref gynnal eisteddfod genedlaethol heb i bwyllgor lleol yr eisteddfod honno ymrwymo i gyflwyno rhestr o'r testunau i sylw Pwyllgor Gweinyddol yr Orsedd cyn iddi gael ei chyhoeddi.

Dibynnai'r Gymdeithas yn ariannol yn y dechrau ar danysgrifiadau blynyddol ychydig o Orseddogion. Cyfanswm o £20 oedd y cyllid blynyddol yn ystod deuddeng mlynedd cyntaf ei bodolaeth, a digon dieithr ac anniffinedig fu'r berthynas rhyngddi a Chymdeithas yr Eisteddfod a oedd ei hunan yn dra ansicr o derfynau ei hawdurdod.

Pa ddiwygio bynnag a oedd ar y gweill, roedd yr un rheidrwydd ar y naill gymdeithas a'r llall, sef cynnal y gorseddau a'r eisteddfodau yn genedlaethol ac yn rheolaidd. Dyna a fynnai gwerin Cymru. Nid oedd llaesu dwylo i fod.

Yng ngorsedd Eisteddfod Genedlaethol Aberhonddu Awst 1889 nid ymddangosodd y Gorseddogion mewn unrhyw fath o urddwisgoedd, ond cariwyd baner a nod cyfrin Beirdd Ynys Prydain arni. Cafwyd coffâd i Homo Ddu (Ceidwad y Cledd) a chyhoeddwyd bod Iago Tegeingl o'r Rhyl wedi'i benodi yn ei le. Ymhlith y rhai a urddwyd oedd T. H. Thomas (*Arlunydd Pen-y-garn*) a benodwyd yn ddiweddarach yn Arwyddfardd.

Cyhoeddwyd Eisteddfod Genedlaethol Bangor Awst 1890 mewn gorsedd a gynhaliwyd ar Roman Camp, ond ar Faesylleiniau yn ymyl yr orsaf y cynhaliwyd hi wythnos yr eisteddfod pryd y derbyniwyd y Frenhines Maria o Rwmania yn aelod anrhydeddus. Yn ystod yr wythnos trafodwyd mater urddwisgoedd, ac wedi deall bod trysorydd Cymdeithas yr Eisteddfod, sef John H. Pulston a chyfaill iddo yn fodlon cwrdd â'r draul o'u pocedi eu hunain, dewiswyd ffurf ar ŵn academaidd a phenwisg ar ffurf beret a'r nod cyfrin ar y tu blaen ar gyfer Gorseddogion ac ar gyfer yr Archdderwydd benwisg ar ffurf *mitre*. Pasiwyd hefyd benderfyniad yn condemnio seisnigrwydd yr Eisteddfod gan alw am areithiau mwy gwladgarol o'r llwyfan. Ond gan na chafwyd fawr o ddiwygio o du'r Eisteddfod yn hyn o beth, dechreuwyd yn fuan wedyn gynnwys araith wladgarol yn rhan o seremoni'r Orsedd.

15. Cyhoeddi Eisteddfod Genedlaethol y Rhyl 1892. Yr Archdderwydd Clwydfardd sydd ar y Maen ac ar y chwith iddo mae Hwfa Môn ac o'i flaen yntau mae Llew Llwyfo.

Ym Mharc Victoria y cyhoeddodd y Gorseddogion Eisteddfod Genedlaethol Abertawe 1891. Yn y seremoni cynrychiolid nifer o gymdeithasau a chynghorau lleol a chafwyd tair eitem gan Gôr Meibion Glantawe. Adroddir na chodwyd cylch o feini ar gyfer yr eisteddfod ei hunan, fod Cymdeithas yr Orsedd wedi dechrau'r arferiad o gynnal nifer o ddarlithoedd ar bynciau llenyddol ynddi, a bod ei phwyllgor gweinyddol wedi penodi Pencerdd Gwalia yn delynor anrhydeddus yr Orsedd.

Cyhoeddwyd Eisteddfod Genedlaethol y Rhyl 1892 yn y 'Gerddi Palasaidd', ond heb roi unrhyw rybudd i'r Orsedd, gwaharddwyd y cyhoedd rhag dod ar gyfyl maes yr orsedd, a bu hyn yn achos gwrthdystiad gan Bwyllgor yr Orsedd. Ar gyfer gorsedd wythnos yr eisteddfod roedd Cadfan wedi cyfansoddi emyn arbennig i'w ganu 'gan wyth o bersonau – dau yn sefyll i'r Pedwar Gwynt gan ganu'r pennill priodol, a'r oll yn uno yn y pennill olaf'. Anghytunai'r beirniaid yng nghystadleuaeth yr awdl, a gofynnwyd i Hwfa Môn dorri'r ddadl. Rhannwyd y wobr yng nghystadleuaeth y bryddest, y Goron a £10 i Iolo Caernarfon a £10 i Ben Davies, Pant-teg.

Cynhaliwyd seremonïau'r Orsedd yn Eisteddfod Genedlaethol Pontypridd Awst 1893 'ar y Maen Chwŷf yng Nghwmwd Tir Iarll', cysegr santeiddiolaf Myfyr Morganwg. Y prif areithydd yn y cynulliad oedd Morien. Fel y gellid disgwyl oddi wrth yr un a oedd newydd ei gyhoeddi ei hun yn ddilynydd i Myfyr Morganwg fel pennaeth Gorsedd y Maen Chwŷf, byrdwn ei araith oedd hynafiaeth 'anhygoel' yr Orsedd.

Bu tipyn o gythrwfl adeg y cadeirio. Roedd dau o'r beirniaid, Pedrog a Dyfed, yn gytûn yn eu dyfarniad, ond nid y trydydd, Gwilym Cowlyd, a mynnai ef yr hawl i draddodi ei feirniadaeth ei hun ar y llwyfan hefyd. Gwrthodwyd y cais gan y Barnwr Gwilym Williams, cadeirydd y sesiwn, a gofynnwyd i Gwilym Cowlyd adael y llwyfan. Wedi cryn berswâd fe lwyddwyd i'w symud, ac aethpwyd ymlaen â'r ddefod.

Yng ngorsedd Eisteddfod Genedlaethol Caernarfon Gorffennaf 1894 gwelwyd y Gorseddogion mewn gynau o liwiau gwahanol i'r tair Urdd

16. Gorsedd Eisteddfod Genedlaethol Caernarfon 1894. Mae'r Gorseddogion mewn urddwisgoedd newydd gyda beret ac mae Clwydfardd yn gwisgo *mitre* 'esgobol'. Ar y dde i Faer Caernarfon mae Hwfa Môn. Yn penlinio y tu blaen i Clwydfardd mae John Thomas (*Eifionydd*; 1848–1922), Cofiadur yr Orsedd, ac ar y chwith iddo yntau, yn ei fedalau eisteddfodol ac yn ei gwrcwd, mae Cadfan.

a oedd wedi'u dylunio gan Hubert von Herkomer. Hon oedd yr orsedd olaf i Clwydfardd ei llywyddu. Ynddi urddwyd pedwar aelod o'r teulu brenhinol yn Ofyddion, yn cynnwys Tywysog Cymru *(Iorwerth Dywysog)*.

Bu farw Clwydfardd ar 30 Hydref 1894 a bu cryn ddadlau parthed ei olynydd. Mynnai rhai mai deheuwr a ddylai gael y swydd, ac awgrymwyd Dyfed neu Watcyn Wyn. Cafwyd cyfarfod brys o Bwyllgor Gweinyddol yr Orsedd yn Amwythig yn fuan wedi marwolaeth Clwydfardd, ac ar gynnig Dyfed, a eilwyd gan Dewi Ogwen, Hwfa Môn a ddewiswyd.

Ar ddechrau seremoni agor Eisteddfod Genedlaethol Llanelli Gorffennaf 1895 esgynnodd Watcyn Wyn i'r Maen Llog a chyhoeddi mai Hwfa Môn oedd yr Archdderwydd newydd. Ni bu unrhyw seremoni i'w orseddu, ac aeth Hwfa Môn ati i gyhoeddi'r orsedd yn agored.

Roedd sicrhau urddwisgoedd newydd wedi mynd i olygu ychwanegiad sylweddol at y paratoadau a oedd yn angenrheidiol i gynnal gorsedd, ac ar gyfer gorsedd Eisteddfod Llanelli ffurfiwyd am y tro cyntaf bwyllgor lleol i ofalu am y paratoadau hyn. Yn y cylch ac yn y

17. Gorsedd Eisteddfod Genedlaethol Llandudno 1896. Hwfa Môn yw'r Archdderwydd. Yn yr orsedd hon y gwelwyd am y tro cyntaf Faner yr Orsedd a ddyluniwyd gan yr Arwyddfardd, Arlunydd Pen-y-garn, a'i gwneud gan Brodes Dâr.

(HWFA MÔN)
The Archdruid
of
Wales.

18. Rowland Williams (*Hwfa Môn;* 1823–1905), Archdderwydd 1895–1905.

cadeirio ymddangosodd yr holl Orseddogion ar y llwyfan yn eu hurddwisgoedd. Yn y cyfarfod blynyddol penodwyd Glan Aeron, cadeirydd Cymdeithas yr Eisteddfod, yn Dderwydd yr Orsedd, a Dyfed yn Fardd yr Orsedd ac enwebwyd Arlunydd Pen-y-garn yn Arwyddfardd, gŵr a weddnewidiodd ei phasiant.

Llywydd Pwyllgor Lleol yr Orsedd yn Llandudno oedd Gwalchmai a threfnwyd bod gorsedd 1896 i'w chynnal 'ar y Fach ar Fynydd y

19. Gorsedd Eisteddfod Genedlaethol Casnewydd 1897. Yng ngorsedd cyhoeddi'r Eisteddfod hon y gwisgodd yr Archdderwydd, Hwfa Môn, yr urddwisg, y goron a'r ddwyfronneg a ddyluniwyd gan Syr Hubert von Herkomer am y tro cyntaf.

Gogarth'. Ar gyfer yr orymdaith a'r seremoni orseddol roedd yr Arwyddfardd newydd, drwy garedigrwydd Syr Arthur Stepney, Llanelli, wedi dylunio baner newydd a Miss Lena Evans wedi'i brodio, ac am ei gwaith fe urddwyd Miss Evans i'w hadnabod yng Ngorsedd wrth yr enw Brodes Dâr.

Yn y flwyddyn 1896 cyhoeddodd John Morris-Jones erthyglau yn y cylchgrawn *Cymru* yn ymosod ar Feirdd Ynys Prydain, a theimlodd Hwfa Môn ei bod hi'n ddyletswydd arno geisio ateb ei feirniadaeth ac amddiffyn hynafiaeth honedig yr Orsedd yn ei araith o'r Maen Llog, ac fe wnaeth hynny yn Llandudno, ac fe wnaeth Glan Aeron, cadeirydd Cymdeithas yr Eisteddfod, yr un modd.

Yng ngorsedd cyhoeddi 'Eisteddfod Genedlaethol Cymru Casnewydd-ar-Wysg 1897, Cadair Gwent a Morgannwg a Gorsedd Beirdd Ynys Prydain' a gynhaliwyd yn Belle Vue Park ar 27 Awst 1896, ymddangosodd yr Archdderwydd yn y goron a'r ddwyfronneg newydd a oedd wedi'u dylunio a'u saernïo gan Hubert von Herkomer.

Roedd meini cylch yr Orsedd wedi'u gosod yn fanwl yn unol â chynlluniau'r Arwyddfardd, ac ar gyfer yr eisteddfod ei hunan roeddynt wedi'u haddurno â blodau, ŷd a phlanhigion bythwyrdd. Wrth gyflwyno'r Arglwydd Tredegyr yng ngorsedd yr eisteddfod soniodd yr Archdderwydd ei bod hi'n fwriad gan yr Arglwydd Tredegyr roi Corn Hirlas o saernïaeth W. Goscombe John i'r Orsedd, a dangoswyd model ohono. Ymysg y rhai a urddwyd er anrhydedd yn yr

20. Syr Hubert von Herkomer (1849–1914).

50

orsedd oedd Tom Ellis *(Cynlas)*, D. Lloyd George *(Llwyd o Wynedd)* ac E. E. Fournier *(Negesydd o'r Ynys Werdd)*.

Roedd W. Goscombe John wedi mynd i Eisteddfod Genedlaethol Blaenau Ffestiniog Medi 1898 yn unswydd i wylio pasiant yr Orsedd, ac fe'i disgrifiodd fel 'a most brilliant and unique ceremony … What a delightful dazzle and colour and sparkle there was about the whole affair.'

Bwriadwyd i orsedd Eisteddfod Genedlaethol Caerdydd 1899 fod yn achlysur arbennig yn hanes Beirdd Ynys Prydain. Mae ei sgrôl cyhoeddi yn cyfeirio at y 'Cadeiriau' a oedd bellach 'yng nghesail yr Orsedd [Genedlaethol]', gan nodi pob un hanesyddol a lledrithiol a'i gyswyneiriau y gwyddys amdano. Aeth yr Arwyddfardd a'r pwyllgor lleol i drafferth a chost fawr i godi cylch – can troedfedd ar draws – o feini o ryw wyth droedfedd a Maen Llog chwe throedfedd wrth saith droedfedd 'yn Ngheufaes Cathays'. Nid Eisteddfod Genedlaethol yn unig a oedd i'w chynnal yng Nghaerdydd ond hefyd pwyllgor llywio cyntaf y Gyngres Ban-Geltaidd, ac roedd trefniadau wedi'u gwneud i'r cynrychiolwyr o'r gwahanol wledydd Celtaidd gymryd rhan yn y seremonïau gorseddol. Agorwyd yr orsedd y diwrnod cyntaf gan Hwfa Môn drwy ddiolch i 'Dad y trugareddau am ei wenau'. Canwyd y Corn

21. Fanch Jaffrennou *(Taldir;* 1879–1956) yn annerch o'r Maen Llog yng ngorsedd Eisteddfod Caerdydd 1899. Urddwyd nifer o Lydawyr yn yr orsedd hon ac ym 1900 sefydlwyd Gorsedd yn Llydaw.

Une assemblée du „Gorsedd" ou Collège des Bardes de Grande-Bretagne, à Cardiff (Pays de Galles). Discours de „Taldir" l'un des 20 délégués bretons.

22. Gorsedd Eisteddfod Genedlaethol Caerdydd 1899. Mrs Alicia Needham o Iwerddon sy'n cyflwyno'r Corn Hirlas i'r Archdderwydd Hwfa Môn. Dyluniwyd ef gan W. Goscombe John a'i gyflwyno'n rhodd i'r Orsedd gan yr Arglwydd Tredegyr. Yn yr un eisteddfod y cyflwynwyd i'r Orsedd y cleddyf mawr a saernïwyd gan Herkomer.

Gwlad ac aed drwy ddefod y cledd. Defnyddiwyd am y tro cyntaf y Cleddyf Mawr yr oedd Herkomer wedi'i saernïo a'i roi yn rhodd i'r Orsedd y noson flaenorol. Yna cyflwynodd yr Arglwydd Tredegyr y Corn Hirlas newydd, a diolchwyd iddo gan yr Archdderwydd a Cochfarf. Ategwyd gan Morien a wnaeth y sylw bod 'gweld tlysau yr Orsedd yn dychwelyd yn ôl fel hyn yn un o arwyddion mwyaf dymunol a sicr yr adfywiad cenedlaethol Cymreig'. Cafwyd anerchiadau gan Taldir o Lydaw ac urddwyd nifer o'r cynrychiolwyr Celtaidd.

Yn ail sesiwn yr Orsedd, adroddwyd y Weddi Orseddol gan yr Athro Edward Anwyl ac mewn defod arbennig cyflwynwyd y Corn Hirlas i'r Archdderwydd gan Mrs Charles Le Goffic o Lydaw. Urddwyd nifer o Lydawyr, Albanwyr, Manawiaid a Gwyddyl, yn cynnwys Padraig H. Pearse. Yn y trydydd sesiwn gwahoddwyd Mrs Alicia Needham o Iwerddon i gyflwyno'r Corn Hirlas a chyhoeddwyd bod yr Orsedd wedi'i gwahodd i gynnal seremoni orseddol yn y Gyngres Ban-Geltaidd gyntaf a oedd i'w chynnal yn Nulyn.

Yn ystod egwyl wedi'r brif gystadleuaeth gorawl cynhaliwyd seremoni uno'r hanner cleddyfau a fwriadwyd gan y Llydawyr fel defod i ddangos y berthynas hanesyddol arbennig a fodolai rhwng y Cymry a'r Llydawyr. Cludwyd hanner Llydaw gan Estourbeillon a hanner Cymru gan Cynonfardd. Gosodwyd y ddau hanner ynghyd gan yr Archdderwydd. Wedi i'r gynulleidfa gydganu'r emyn 'O Fryniau Caersalem' cafwyd anerchiadau gan y dirprwyon Celtaidd. Nid oedd neb yn deilwng o'r Gadair, a phan gyhoeddwyd ffugenw Bardd y

Goron nid ymatebodd neb. Arwisgwyd ei ddirprwy, sef Eifionydd, Cofiadur yr Orsedd, yn ei le (sef Gwylfa) gan Mrs Ceiriog Hughes.

Roedd ôl cynllunio'r Arwyddfardd hefyd ar y cylch o dywodfaen a godwyd yng Ngerddi Whitley ar gyfer Eisteddfod Genedlaethol Lerpwl, 18 Medi 1900, ac roedd y regalia newydd – Baner yr Orsedd, y Cleddyf Mawr, y Corn Hirlas a hanner cleddyf Cymru – yn amlwg yn yr orymdaith a'r seremonïau. Y datgeiniad oedd Eos y Gogledd a'r cyfeilydd Telynores Lleifiad.

Yng Nghwm Nant-y-coed y cyfarfu'r Orsedd yn Eisteddfod Genedlaethol Merthyr Tudful Awst 1901. Er y glaw mawr cynhaliwyd yr orsedd agoriadol yn y cylch, ond nid ymddangosodd y Gorseddogion yn eu hurddwisgoedd. Cyflwynodd gweddw Thomas Stephens, archfeirniad yr Orsedd, dusw o flodau mewn corn a gafwyd yn rhodd gan E. A. Bidwell, i'r Archdderwydd, ac anerchwyd gan Taldir. Yn yr ail sesiwn cyflwynwyd y Corn Hirlas ac urddwyd, ymysg eraill, Crwys, Sarnicol a dau o Lydaw. Ar gyfer y coroni gosodwyd Baner yr Orsedd a'r Corn Hirlas ar y llwyfan, ac ymddangosodd yr holl Orseddogion yn eu hurddwisgoedd.

Yn fuan wedi Eisteddfod Merthyr roedd regalia'r Orsedd a nifer o Orseddogion ar eu ffordd i Ddulyn ar gyfer y Gyngres Ban-Geltaidd. Pwrpas yr ymweliad oedd hyrwyddo'r ieithoedd a'r llenyddiaethau Celtaidd. Yno ar lawnt o flaen Tŷ'r Maer y cynhaliwyd yr Orsedd. Hwn oedd achlysur cyflwyno Corn Gwlad arian i'r Orsedd gan Mrs Alicia Needham a chyhoeddi bod Gorsedd wedi'i sefydlu yn Llydaw.

Defnyddiwyd y corn newydd am y waith gyntaf yng ngorsedd Eisteddfod Genedlaethol Bangor 1902 a gynhaliwyd ar Faesylleiniau.

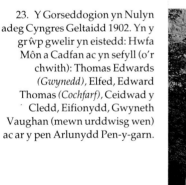

23. Y Gorseddogion yn Nulyn adeg Cyngres Geltaidd 1902. Yn y grŵp gwelir yn eistedd: Hwfa Môn a Cadfan ac yn sefyll (o'r chwith): Thomas Edwards *(Gwynedd)*, Elfed, Edward Thomas *(Cochfarf)*, Ceidwad y Cledd, Eifionydd, Gwyneth Vaughan (mewn urddwisg wen) ac ar y pen Arlunydd Pen-y-garn.

24. Regalia'r Orsedd yng ngorsedd Eisteddfod Genedlaethol Bangor 1902. Rhoddwyd y Corn Gwlad i'r Orsedd gan Mrs Alicia Needham adeg gorsedd Dulyn 1902.

Roedd dirprwyaeth gref o Geltiaid yn eu gwisgoedd brodorol yn yr orymdaith ac wrth y cylch. Cludwyd hanner cleddyf Cymru gan Alfred P. Graves a oedd o dras Lydewig. Mae'n ymddangos mai yng ngorsedd Bangor y dechreuwyd adnabod defod cyflwyno'r tusw o flodau'r maes i'r Archdderwydd wrth yr enw 'Cyflwyno'r Aberthged'. Cafwyd tri sesiwn i gyd. Urddwyd nifer fawr yn cynnwys Gwynfor, Gwilym Deudraeth a Mallt Williams *(Merch Brychan)*.

Yn y pafiliwn cafwyd anerchiad gan W. W. Gibson, mab Arglwydd Ganghellor Iwerddon, a oedd yn fawr ei glod i'r gynulleidfa am iddynt anghymeradwyo anerchiadau Saesneg. Diweddwyd defod coroni Silyn Roberts drwy i'r Gorseddogion ysgwyd llaw ag ef, 'dull newydd a ddygwyd i'r Orsedd eleni', meddai'r wasg. Cadeiriwyd Beriah Gwynfe Evans yn absenoldeb y bardd buddugol, T. Gwynn Jones. Bu cryn

Une assemblée du „Gorsedd" ou Collège des Bardes de la Bretagne-Armorique, sur un dolmen près de la mer, à Brignogam 1903 (Finistère). L'Investiture.

25. Gorsedd gyhoeddus gyntaf Gorsedd Llydaw ar Ddolmen Ker-roch, Brignogan, Bro Leon, 1903 dan lywyddiaeth y Derwydd Mawr cyntaf, Yann Ar Fusteg (1855–1910).

feirniadu ar eiriau cân y cadeirio a oedd wedi'u dewis gan aelodau'r pwyllgor lleol, ac o hynny ymlaen bu'r Orsedd yn amharod i ymddiried y dewis o gân iddynt.

Yn ystod y tri sesiwn gorseddol a gafwyd yn ystod Eisteddfod Genedlaethol Llanelli 1903 urddwyd, ymhlith eraill, Gwilym Rhug, Cofiadur yr Orsedd wedyn, yr hanesydd D. Brynmor Jones, Eluned Morgan o Batagonia a Bardd y Goron, Rhuddwawr.

Wythnos cyn Eisteddfod Genedlaethol y Rhyl Medi 1904 cyfarfu'r Gyngres Ban-Geltaidd yng Nghaernarfon. Gorymdeithiodd y Gorseddogion yn eu hurddwisgoedd a'r dirprwywyr Celtaidd, llawer ohonynt yn eu gwisgoedd brodorol, o orsaf y rheilffordd i'r cyfarfod agoriadol y tu mewn i'r castell. Fel rhan o'r seremoni i arddangos cydlyniad y gwledydd Celtaidd, aed trwy ddefod y cledd a'r erfyniad am 'Heddwch' gan yr Archdderwydd ac anerchwyd gan y Gorseddogion Gwynedd, Alafon, Watcyn Wyn a Cadfan.

Wedi'r Gyngres teithiwyd i'r Rhyl ac yng ngorsedd agoriadol yr eisteddfod anerchwyd gan Edward Anwyl, E. E. Fournier, ysgrifennydd y Gyngres, a Taldir. Yn y sesiynau eraill a gynhaliwyd, urddwyd D. Tecwyn Evans a Thelynor Mawddwy. Ar lwyfan y pafiliwn cafwyd seremoni uno'r ddau hanner cleddyf gyda Watcyn Wyn a Taldir yn cario'r haneri.

Oherwydd llesgedd ni fedrodd yr Archdderwydd, Hwfa Môn, fod yn bresennol yng ngorsedd Eisteddfod Genedlaethol Aberpennar Awst 1905 a gynhaliwyd yng Nghlwyd-y-fid, a chan na fedrai Dyfed, Bardd yr Orsedd, fod yn bresennol ychwaith, cymerwyd yr awenau gan Cadfan, ac urddwyd nifer o eisteddfodwyr lleol gan gynnwys y prif noddwr, Arglwydd Aberdâr. Deufis yn ddiweddarach bu farw Hwfa Môn, un a gredai'n ddiffuant, fel Clwydfardd, yn 'nilysrwydd hynafol y defion gorseddol' ac yn hynafiaeth Beirdd Ynys Prydain fel sefydliad, ac un a welodd yn dda ganiatáu sefydlu ym 1900 'Is-orsedd' yn Llydaw. Pa un a gredai, fel Myfyr Morganwg ac Ab Ithel, ym mharhad derwyddiaeth, sydd amheus. Beth bynnag, gyda'i farw ef, roedd dyddiau'r crediniaethau hyn wedi dod i ben, o leiaf yng Ngorsedd yr Eisteddfod Genedlaethol, er bod y collfarnu cyhoeddus i barhau am ysbaid eto.

Mewn cyfarfod o'r pwyllgor yn Amwythig ar 1 Rhagfyr dewiswyd olynydd iddo, sef Dyfed. Wedi'i benodi penderfynwyd ar unwaith

26. Gorsedd Eisteddfod Genedlaethol Aberpennar 1905 o dan y coed yng Nghlwyd-y-fid ar gwr y dref. Yn absenoldeb yr Archdderwydd Hwfa Môn a Bardd yr Orsedd, Dyfed, llywyddwyd y gweithgareddau gan Cadfan.

ffurfio is-bwyllgor i lunio cyfansoddiad. Wedi llunio drafft ohono a'i ddiwygio nifer o weithiau, fe'i cymeradwywyd yn derfynol ym 1909 am ei fod yn bennaf yn diogelu annibyniaeth, swyddogaeth a defodau'r Orsedd yng ngweinyddiad yr eisteddfod, ac fe'i cyhoeddwyd.

Yng ngorsedd Eisteddfod Genedlaethol Caernarfon Awst 1906 gosododd Cadfan goron yr Archdderwydd yn ddigon diseremoni ar ben Dyfed, a chyfarchwyd yr Archdderwydd newydd gan y Beirdd a chan E. E. Fournier. Cyflwynydd y Corn Hirlas oedd Mrs Alicia Needham *(Telyn Iwerddon)*. Yn yr ail sesiwn cafwyd anerchiad gan D. Lloyd George, a chyflwynwyd yr Aberthged gan Mrs Tom Ellis.

Ym Mharc Cwmdoncyn y cyfarfu Gorsedd Eisteddfod Genedlaethol Abertawe 1907, ac roedd yno ddirprwyaeth gref o aelodau Gorsedd Llydaw a'r Union Régionaliste Bretonne. Siaradwyd ar ran y ddirprwyaeth gan Taldir ac Estourbeillon. Ar lwyfan yr eisteddfod unwyd y ddau hanner cleddyf a chyflwynodd yr Archdderwydd i'r Llydawyr faner addurnedig ac arni symbolau a geiriau yn dynodi'r gydberthynas arbennig a fodolai rhwng y ddwy genedl. Aeth Dyfed a nifer o Orseddogion i'r Gyngres Geltaidd yng Nghaeredin ym mis Medi a chynhaliwyd cynulliad gorseddol ar y Castle Esplanade yno.

27. Gorsedd Eisteddfod Genedlaethol Caernarfon 1906 lle y gorseddwyd Evan Rees (*Dyfed;* 1850–1923) yn Archdderwydd.

Yng ngorsedd Eisteddfod Genedlaethol Llangollen 1908 urddwyd J. Lloyd Jones, Moelona, dwy o ferched Ceiriog ac R. J. Berwyn a ddarllenodd gyfarchion oddi wrth Gutyn Ebrill, 'Archdderwydd

57

184. - Fête celtique à St-Brieuc
L'Incantation

(Col. E. Hamonic, St-Brieuc)

28. Gorsedd Sant-Brieg 1906 a
Dyfed yn llywyddu. Roedd
cynrychiolaeth gref o Gymry yn
bresennol yn cynnwys yr Athro
Morgan Watkin, Kelt Edwards,
Cochfarf, Thomas Matthews ac
Arlunydd Pen-y-garn. Regalia
Gorsedd Cymru, y Cleddyf
Mawr a'r Faner, a ddefnyddiwyd
yn y seremoni.

29. Gorseddogion Cymru a
dirprwyon o Lydaw yn
Eisteddfod Genedlaethol
Abertawe 1907.

30. Yr Archdderwydd Dyfed, Cadfan, Eifionydd (yn edrych yn syth i'r camera) a Gwynedd (mewn urddwisg wen) yn cael eu cludo mewn cerbyd yng ngorymdaith gorsedd Eisteddfod Genedlaethol Abertawe 1907.

Patagonia'. Cafwyd anerchiadau gan Syr John Rhŷs a W. Llewelyn Williams *(Llwydfryn)*. Cyflwynodd Mrs Mary Gwenddydd Morgan i'r Archdderwydd beithynen a saernïwyd gan ei thad, Taliesin o Eifion, ym 1858.

Ar y daflen uniaith Gymraeg yn cyhoeddi Eisteddfod Genedlaethol Llundain 1909 argraffwyd llun o beithynen. Cyfarfu'r Orsedd yng Ngerddi'r Deml Fewnol Alban Hefin 1908 i gyhoeddi'r ŵyl, a chafwyd gwledd yn Neuadd y Brenin ac Arglwydd Aberdâr yn cadeirio. Noson gyntaf yr eisteddfod ei hun arlwywyd gwledd gan Arglwydd Tredegyr yn Sefydliad yr Arlunwyr. Bardd y Gadair oedd T. Gwynn Jones. Pan alwyd ffugenw Bardd y Goron cododd W. J. Gruffydd ar ei draed ar un o'r orielau uchel yn y neuadd, a gofynnwyd iddo ddod i lawr yn y lifft iddo gael ei gyrchu i'r llwyfan. Ymhlith y rhai a urddwyd yng ngorsedd roedd y Parch. Lemuel Jones *(Hopkin)* a D. R. Hughes *(Myfyr Eifion)* a olynodd Vinsent ym 1935 fel Ysgrifennydd yr Eisteddfod.

Yng ngorsedd Eisteddfod Bae Colwyn 1910 cyflwynodd y Parch. C. E. Wright, Ficer Bexley yng Nghaint, deyrnwialen i'r Archdderwydd ac fe urddwyd yntau'n Ofydd Anrhydeddus. Yn ddiweddarach gweithredai fel Ceidwad y Deyrnwialen yn y seremonïau. Darllenwyd y feirniadaeth ar yr awdlau gan yr Archdderwydd, un o'r beirniaid, ac fe gadeiriwyd R. Williams Parry am ei awdl 'Yr Haf'.

Roedd Kaledvoulc'h, Derwydd Mawr Gorsedd Llydaw, yn bresennol yng ngorsedd Eisteddfod Genedlaethol Caerfyrddin 1911, a chafwyd cyfarchiad ganddo ef a chan Pol Diverrès o'r Maen Llog. Am y tro cyntaf trefnwyd bod defod priodi'r ddau hanner cleddyf i ddigwydd fel rhan o'r seremoni orseddol yn hytrach nag ar lwyfan yr eisteddfod.

31. Y faner a gyflwynwyd i'r
Llydawyr gan y Cymry yn
Eisteddfod Abertawe 1907. Ar y
chwith eithaf gwelir Cochfarf.

Yn yr orsedd yn Eisteddfod Wrecsam ym 1912 gwisgai'r
Archdderwydd ystola, a chyflwynwyd tlysau addurnol gan Mrs
Laurence Brodrick, Mrs Stafford Howard a'r Parch. C. E. Wright.
Urddwyd nifer gan gynnwys I. D. Hooson, Nancy Richards (*Telynores
Maldwyn*) a Morfydd Owen. Wedi i'r Archdderwydd gyhoeddi
'Heddwch' yn nefod cadeirio T. H. Parry-Williams tarfwyd ar anerchiad
D. Lloyd George gan y *suffragettes*.

Roedd yr orymdaith drwy dref y Fenni adeg cyhoeddi Eisteddfod
Genedlaethol 1913 yn ymgais lwyddiannus i bortreadu gwahanol
agweddau ar fywyd a hanes Gwent. Llywydd yr eisteddfod oedd Syr

32. Gorsedd Eisteddfod Genedlaethol Bae Colwyn 1910 ar Fryn y Baneri. Dyma achlysur cyflwyno Teyrnwialen i'r Archdderwydd gan y Parch. C. E. Wright, Bexley *(Carwr Cymru)*.

33. Gorsedd Eisteddfod Genedlaethol Caerfyrddin 1911. Ar y Maen Llog gyda Dyfed gwelir Kaledvoulc'h, Derwydd Mawr Gorsedd Llydaw.

34. Gorsedd Eisteddfod Genedlaethol Wrecsam 1912. Mae Jacob Edwards *(Alaw Maelor)* o'r Rhos yn canu i gyfeiliant Telynores Gwalia (Miss Elizabeth Jones, wedyn Mrs Pol Diverrès). Mae'r Archdderwydd Dyfed yn gwisgo'r stola 'offeiriadol' am y waith gyntaf.

Ivor Herbert o Lan-arth. Gwahoddwyd Derwydd Mawr Llydaw i'r orsedd a chyflawnwyd defod priodi'r ddau hanner cleddyf yn y cylch. Cyflwynwyd urddau er anrhydedd i nifer yn cynnwys Miss M. Morgan *(Mair Taliesin)*, a benodwyd yn ddiweddarach i fod yn gyfrifol am yr urddwisgoedd.

Yn ystod Eisteddfod Genedlaethol Wrecsam 1912 y clywyd gyntaf am fwriad Cymry'r Taleithiau Unedig i sefydlu Gorsedd. Cymeradwywyd y bwriad gan Bwyllgor Gweinyddol yr Orsedd, ac yn Eisteddfod y Fenni datguddiodd yr Archdderwydd iddo ymweld â Pittsburgh i'w sefydlu ac iddo urddo nifer o Gymry a phenodi Archdderwydd Dirprwyol, sef Cynonfardd, a swyddogion.

Er i Eisteddfod Genedlaethol 1914 gael ei chyhoeddi flwyddyn yn gynharach ym Mangor, nis cynhaliwyd hi, ac fe'i gohiriwyd am flwyddyn. Yn Awst 1915 y cafwyd eisteddfod gyntaf y Rhyfel. Parhaodd am bedwar diwrnod. Yn absenoldeb Dyfed gweinyddwyd y defodau gorseddol gan Cadfan, a hepgorwyd defod y cleddyf mawr. Y prif areithydd oedd W. Llewelyn Williams, cadeirydd Cymdeithas yr Eisteddfod Genedlaethol. Yn un o'r seremonïau cafwyd coffâd i T. Marchant Williams, ysgrifennydd mygedol yr Eisteddfod ac i Arlunydd Pen-y-garn, Arwyddfardd arloesol yr Orsedd.

Gohirio fu hanes Eisteddfod Genedlaethol Aberystwyth hefyd. Fe'i cyhoeddwyd mewn cylch yng ngward mewnol y castell, ond bu'n rhaid aros am ddwy flynedd, tan 1916, cyn ei chynnal. Yn y cyfamser roedd Arwyddfardd newydd wedi'i benodi sef Dr Edward Rees *(Ap Gwyddon)*, a'i dasg gyntaf oedd cyhoeddi o'r Maen Llog yn ystod gŵyl dridiau Aberystwyth mai ym Mhenbedw y cynhelid Eisteddfod Genedlaethol 1917. Cafwyd hefyd goffâd i Hubert Herkomer, un o gymwynaswyr mawr yr Orsedd, ac i'r ysgolhaig Syr John Rhŷs. Yng nghystadleuaeth y 'bryddest' gofynnwyd am 'Pedair Telyneg'. Rhannwyd y wobr rhwng Gwili a Wil Ifan. Cadair fach arian oedd y wobr yng nghystadleuaeth yr awdl, ac fe'i cipiwyd gan J. Ellis Williams. Dyfarnwyd Hedd Wyn yn ail.

Rhoes Hedd Wyn gynnig arall am y Gadair yn Eisteddfod Genedlaethol Penbedw 1917, a llwyddo. Ar drothwy'r cadeirio cyhoeddodd yr Archdderwydd fod y bardd buddugol, 'Fleur de Lys', wedi syrthio yn y rhyfel. Rhoddwyd mantell ddu dros y gadair wag ac ymunodd y gynulleidfa i ganu 'Bydd myrdd o ryfeddodau'. Roedd nifer o gynrychiolwyr o'r gwledydd Celtaidd wedi trefnu cyfarfod ym Mhenbedw adeg yr ŵyl i drafod ailsefydlu'r Gyngres Geltaidd. Ymunodd carfan ohonynt mewn gwisgoedd brodorol â gorymdaith yr Orsedd a chawsant eu hurddo'n aelodau.

Ailsefydlwyd y Gyngres yn Eisteddfod Genedlaethol Castell-nedd 1918 a phenodwyd swyddogion, pob un ohonynt yn aelodau o Orsedd y Beirdd, yn cynnwys yr ysgrifennydd sef D. Rhys Phillips *(Y Beili Glas)*. Yn yr orsedd a gynhaliwyd yng Ngerddi Victoria urddwyd nifer o

35. Seremoni uno'r ddau hanner cleddyf yng ngorsedd Eisteddfod Genedlaethol y Fenni 1913. Cyflwynwyd yr hanner Cymreig gan yr Henadur Straker, Maer y Fenni, a'r hanner Llydewig gan Pol Diverrès. Mae Dyfed yn gosod y ddau hanner at ei gilydd. Ar y dde iddo mae Kaledvoulc'h ac ar y chwith iddo gwelir Cadfan, dilynydd Dyfed i'r Archdderwyddiaeth, yn dal y deyrnwialen.

63

ymgeiswyr llwyddiannus yn yr arholiadau ac yn eu plith A. S. D. Smith (*Caradar*).

Cynhaliwyd gorseddau Eisteddfod Genedlaethol Corwen ar Benypigyn, y cyhoeddi ar 4 Gorffennaf 1918, a'r urddo yr wythnos gyntaf o Awst 1919. A'r rhyfel drosodd er mis Tachwedd 1918 aethpwyd drwy ddefod y cleddyf mawr ac erfyniwyd am 'Heddwch'. Cafwyd anerchiad gan gadeirydd Cymdeithas yr Eisteddfod Genedlaethol, W. Llewelyn Williams, yn amddiffyn yr Orsedd rhag ymosodiadau John Morris-Jones a G. J. Williams, ac urddwyd T. I. Ellis, Howard de Walden a Miall Edwards.

Yng ngorsedd Eisteddfod Genedlaethol y Barri Awst 1920 neilltuwyd defod cyflwyno'r Aberthged i sesiwn bore Mawrth a'r Corn Hirlas i sesiwn bore Iau. Gan nad oedd neb yn deilwng o'r Gadair cynhaliwyd seremoni priodi'r cledd yn lle'r cadeirio. Cludwyd hanner Llydaw gan Per Mocaer o Lydaw a hanner Cymru gan y Beili Glas.

Yng ngorsedd Eisteddfod Genedlaethol Caernarfon 1921 y canwyd am y tro cyntaf 'Englynion Coffa i Hedd Wyn', R. Williams Parry. Y datgeiniad oedd J. E. Jones. Bardd y Goron oedd Cynan am ei bryddest 'Mab y Bwthyn' a bardd y Gadair oedd Meuryn am yr awdl 'Min y Môr'. J. Lloyd Jones, Dulyn, y bardd a osodwyd yn ail yng Nghaernarfon, a enillodd y gadair yn Eisteddfod Genedlaethol Rhydaman, 1922.

Ym mis Tachwedd 1922 bu farw'r Cofiadur, Eifionydd, 'ych bôn' yr Orsedd, ac ym mis Mawrth 1923 yr Archdderwydd Dyfed. Cyfarfu Pwyllgor yr Orsedd yn Ebrill a phenodwyd Cadfan yn Archdderwydd, ond oherwydd ei lesgedd roedd i roi'r gorau i'r swydd wedi Eisteddfod yr Wyddgrug 1923 a'i ddilyn wedyn gan yr Archdderwydd Etholedig, Elfed. Hefyd cadarnhawyd penodiad Beriah Gwynfe Evans yn Gofiadur a Gwilym Rhug yn Ysgrifennydd Ariannol. Yn yr Wyddgrug urddwyd T. Hopkyn Evans, Leigh Henry a'r Dr. Caradog Roberts, a gorymdeithiodd y Gorseddogion i'r gladdfa gyhoeddus i goffáu Richard Wilson, Daniel Owen ac Alun. Siaradwyd ar lan y beddau gan John Morris-Jones, cadeirydd Cymdeithas yr Eisteddfod, a chan Elfed.

Roedd hi'n fwriad gan Iorwerth, Tywysog Cymru, ymweld ag Eisteddfod Genedlaethol Pont-y-pŵl 1924 a gwylio'r coroni, a threfnwyd bod y Gorseddogion i orymdeithio'n ffurfiol i'r llwyfan ar gyfer yr achlysur yn hytrach na thyrru yno ar alwad y Cofiadur. Y bardd buddugol oedd E. Prosser Rhys. Arwisgwyd ef â'r Goron gan y Tywysog, ac fe'i cyfarchwyd gan Crwys yn Gymraeg ac yn Saesneg. Urddwyd y Tywysog hefyd yn aelod anrhydeddus ar Gae Criced Pont-y-pŵl lle'r oedd y Gorseddogion wedi'u trefnu'u hunain yn gylch.

Yn absenoldeb Elfed gweinyddwyd gorsedd agoriadol Eisteddfod Genedlaethol Pwllheli 1925 ar y Garn Bach gan Pedrog. Urddwyd y Frenhines Maria o Rwmania ar lwyfan y pafiliwn gan Elfed ac fe'i harwisgwyd gan Mrs D. Lloyd George a Mrs Coombe Tennant, a oedd newydd ei phenodi yn Feistres y Gwisgoedd.

Yn yr orsedd a gynhaliwyd ar 2 Gorffennaf 1925 i gyhoeddi Eisteddfod Genedlaethol Abertawe 1926 arwisgwyd Geoffrey Crawshay (*Sieffre o Gyfarthfa*) yn Arwyddfardd yr Orsedd yn olynydd i Ap Gwyddon. Yn ystod wythnos yr eisteddfod honno urddwyd Dug a Duges Efrog yn Ofyddion i'w hadnabod yng ngorsedd wrth yr enwau Albert a Betsi o Efrog. Mabwysiadwyd geiriau o waith Cynan, 'Cyrchwyd y Prifardd ar fuddugol hynt', yn gân y cadeirio am y waith gyntaf, a chadeiriwyd Gwenallt am ei awdl 'Y Mynach'. Coronwyd Dewi Emrys am gasgliad o delynegion, a chyflwynodd yr Archdderwydd wobr Tom Rees, Chicago (£30) i John Morris-Jones, cadeirydd Cymdeithas yr Eisteddfod, am gyfrol orau'r flwyddyn, sef *Cerdd Dafod*.

Yn Rhaglen y Dydd Eisteddfod Genedlaethol Caergybi 1927 y gwelwyd yn argraffedig gerddoriaeth W. S. Gwynn Williams a gyfansoddwyd ar gyfer llafarganu Gweddi'r Orsedd, gosodiad cerddorol Vaughan Bencerdd i'r geiriau 'Canmolwn yn awr y gwŷr enwog' a chân y coroni, 'Cymer dy lawryf, frenin fardd yr ŵyl' gan Crwys, i'w chanu i'r dôn 'Ymdaith Capten Morgan'. Y bardd buddugol yng nghystadleuaeth y Goron oedd Caradog Prichard am ei bryddest 'Y Briodas'. Wedi i'r Gorseddogion ymgynnull ar y llwyfan a chael nad oedd neb yn deilwng o'r Gadair, galwodd Elfed ar Cynan a Meurig Prysor i gyrchu Pedrog, yr Archdderwydd Etholedig er Medi 1926, i'r Gadair. Tynnodd Elfed y Goron Archdderwyddol oddi ar ei ben a dododd Cynan hi i gymeradwyaeth y dorf ar ben Pedrog.

Arweiniwyd yr orymdaith i Gylch yr Orsedd ar Ben-twyn adeg Eisteddfod Genedlaethol Treorci 1928 gan Sieffre o Gyfarthfa ac yntau'n marchogaeth. Pedrog a lywyddai'r defodau pryd y cyflwynwyd dirprwyaeth o Gernyw a ddeisyfai ganiatâd i sefydlu cangen o Feirdd Ynys Prydain yng Nghernyw. Urddwyd Mr a Mrs David Davies, Llandinam a nifer fawr 'o bobl ddibwys', gormod i dyb W. P. Thomas, llywydd y pwyllgor lleol a'r Parch. Fred Jones, yr ysgrifennydd, a wrthododd gymryd eu hurddo fel gwrthdystiad. Urddwyd nifer o wŷr Cernyw yn Feirdd a threfnwyd bod Gorsedd Cernyw i'w sefydlu gan Pedrog yn Boscawen-Un ar 21 Medi 1928.

Aeth Eisteddfod Genedlaethol 1929 i dref Pedrog, sef Lerpwl, ac fe gyfarfu'r Orsedd yn Princess Park. Cyflwynwyd y Corn Hirlas fore Mawrth a'r Aberthged fore Iau. Rhoddwyd enwau newydd i'r cynorthwywyr yn y ddefod sef 'macwyaid y llys' a 'rhiannedd y llys', a llafarganwyd y weddi gan Meurig Prysor.

Enynnodd Eisteddfod Genedlaethol Llanelli 1930 ddiddordeb brwd yr hen a'r ifanc, gwreng a bonedd. Ar gyfer y cyhoeddi gwirfoddolodd y gwragedd i arolygu'r urddwisgoedd; neilltuwyd lle arbennig i blant yr

36. Howell Elvet Lewis (*Elfed;*
1860–1953), Archdderwydd
1923–7 yn llywyddu yng
ngorsedd Eisteddfod
Genedlaethol Abertawe 1926.
Meurig Prysor, trysorydd yr
Orsedd, sy'n sefyll o flaen y Maen
Llog. Ar y dde eithaf mae
J. Walter Rees *(Gwallter Dyfi),*
Ceidwad y Cledd. Sieffre o
Gyfarthfa oedd yr Arwyddfardd.

37. Cyd-Orsedd (Cymru a
Llydaw) yn Rieg-war-Belon, Bro-
Gerne, Llydaw ym 1927. Yn
absenoldeb y Derwydd Mawr
Kaledvoulc'h llywyddwyd y
seremoni gan Taldir. Ar y dde
iddo ar y Maen Llog y mae Albert
Evans-Jones (y Prifardd Cynan).
Ymysg y dirprwyon niferus o
Orsedd Cymru roedd D. Rhys
Phillips *(Y Beili Glas),* Trefnydd yr
Arholiadau a Gwallter Dyfi.

38. Agor gorsedd Cyhoeddi
Eisteddfod Genedlaethol Treorci
1928, a gynhaliwyd ar Ben-twyn
ym 1927, gan Elfed. Gorseddwyd
John Owen Williams (*Pedrog;*
1853–1932) yn Archdderwydd yn
y seremoni. Gwelir ef yn sefyll y
tu ôl i'r Maen Llog. Yng ngorsedd
wythnos yr eisteddfod yn Awst
1928 urddwyd nifer o wŷr
Cernyw yn aelodau o Orsedd y
Beirdd.

39. Gorsedd Boscawen Un,
Cernyw ar 21 Medi 1928 pryd y
sefydlwyd Gorsedd Cernyw gan
Pedrog ac y penodwyd Henry
Jenner (*Gwas Myghal;* 1848–1934)
yn Fardd Mawr Cernyw.

Urdd yn yr orymdaith; cafwyd cyfres o alawon gan gôr W. G. Williams yn y seremoni Orseddol a chyflwynwyd y Corn Hirlas gan y Fonesig Howard Stepney. Yn y cyngerdd yn Neuadd y Farchnad cafwyd gwasanaeth Cerddorfa Genedlaethol Cymru. Ymhlith y rhai a urddwyd wythnos yr eisteddfod oedd E. Prosser Rhys, Caradog Prichard a'r ysgolhaig Roparz Hemon o Lydaw. Coronwyd Gwilym Myrddin am ei arwrgerdd 'Ben Bowen', a chadeiriwyd Dewi Emrys am ei awdl 'Y Galilead'.

Oherwydd llesgedd ni fedrai Pedrog lywyddu gorsedd Eisteddfod Bangor 1931 a chymerwyd ei le gan Elfed. Rhoddwyd coffâd i'r Cyngofiadur Gwilym Rhug, a chyflwynwyd y Cofiadur newydd, Gwylfa. Buasai Pedrog farw cyn cynnal Eisteddfod Aberafan, 1932, a dilynwyd ef i'r archdderwyddiaeth gan Gwili, ac ymysg y rhai a urddwyd ganddo ef y flwyddyn honno oedd W. Emyr Williams *(Emyr Cyfeiliog)*. Yn seremonïau coroni T. Eurig Davies a chadeirio D. J. Davies ymddangosodd yr holl Orseddogion yn eu hurddwisgoedd.

40. Yr Archdderwydd Gwili a Simon B. Jones, Bardd Coron Eisteddfod Genedlaethol Wrecsam 1933. Yn y llun gwelir hefyd Gwallter Dyfi, John Masefield, Gwylfa Roberts, Cofiadur yr Orsedd a Cynan.

Yng ngorsedd Eisteddfod Wrecsam 1933 urddwyd Jacques Heugel a oedd am sefydlu Gorsedd i Geltiaid Gwasgaredig Ffrainc a'r bardd Saesneg, John Masefield. Cipiwyd y Goron gan Simon B. Jones a'r Gadair gan Trefin. Aeth y prif lawryfoedd barddol yn Eisteddfod Castell-nedd 1934 i T. Eurig Davies a William Morris, ac ymhlith y rhai a urddwyd oedd yr arlunydd Evan Walters.

Daeth tymor Gwili fel Archdderwydd i ben yn Eisteddfod Caernarfon 1935 a phenodwyd J. J. Williams. Penodwyd hefyd Gofiadur newydd, sef Cynan. Yng ngorsedd yr eisteddfod honno yr urddwyd W. R. P. George a Simon B. Jones.

Digon di-sut fu defod gorseddu'r Archdderwydd nes i Cynan lunio un ar gyfer gorseddu J. J. Williams yng ngorsedd Eisteddfod Abergwaun 1936, ac erys y ddefod yr un byth wedyn ac eithrio am ychydig gyfnewidiadau. Cafwyd gwasanaeth dau utganwr am y tro cyntaf yn hytrach na'r un arferol yn yr orsedd hon, ac ynddi yr urddwyd J. Ellis Williams, y dramodydd ac Alun Ogwen Williams.

Yng ngorsedd cyhoeddi Eisteddfod Machynlleth yng Ngorffennaf 1936 y gwelwyd am y tro cyntaf y ddawns flodau a gynlluniwyd gan Cynan. Fe'i cyflwynwyd yn y cylch yn unig gan blant ysgol yr ardal fel rhan o ddefod yr Aberthged. Priod waith yr Archdderwydd ei hunan fuasai cyhoeddi eisteddfod, ond yng ngorsedd cyhoeddi Machynlleth gwnaed hynny gan y Cofiadur, a dyna'r drefn byth wedyn. Bore Mawrth yr Eisteddfod, Awst 1937, cyflwynwyd y Corn Hirlas gan Arglwyddes Davies, Llandinam a bore Iau cafwyd y ddawns flodau a chyflwyno'r Aberthged. Cymerwyd rhan yn seremonïau coroni J. M.

41. Yr Archdderwydd J. J. Williams yn llywyddu gorsedd Eisteddfod Genedlaethol Abergwaun 1936. Ar y dde i'r Maen Llog mae Sieffre o Gyfarthfa, Arwyddfardd yr Orsedd 1926–47.

Edwards a chadeirio T. Rowland Hughes gan Seindorf Corris a chanwyd cân y cadeirio, cywydd J. J. Williams, 'Hyd y sêr aed llawer llais', gan William Edwards, Rhyd-y-main.

Yng ngorsedd Caerdydd 1938 amlhawyd nifer yr emynau cynulleidfaol a genid, a thestunau digon crefyddol a gynhyrfodd awen E. H. Thomas, bardd y Goron a Gwilym R. Jones, bardd y Gadair, sef 'Peniel' a 'Rwy'n edrych dros y bryniau pell'. Yng Nghyfarfod Blynyddol yr Orsedd dewiswyd Crwys yn Archdderwydd i'w orseddu yng ngorsedd cyhoeddi Eisteddfod Pen-y-bont, a thymor digon trafferthus a gafodd fel Archdderwydd. Nid oedd neb yn deilwng o'r Gadair na'r Goron yn Eisteddfod Dinbych Awst 1939, ac ymhen mis roedd yr Ail Ryfel Byd wedi cychwyn.

42. Crwys, Archdderwydd Cymru 1939–47.

Penderfynwyd ymddiried y gwaith o drefnu'r eisteddfodau i bwyllgor brys. Oherwydd yr ofnau ynglŷn â chyrchoedd awyr gwaharddwyd y pwyllgor rhag cynnal eisteddfod arfaethedig Pen-y-bont, a phenderfynwyd ei chynnal yn Aberpennar, ac er cyhoeddi honno hefyd, gwaharddwyd ei chynnal. Wedi ymgynghori â'r BBC cytunwyd i gael eisteddfod radio, a dyna a gafwyd ym 1940. Eisteddfodau cenedlaethol ar raddfa lai a heb orseddau a fu yn Hen Golwyn (1941), Aberteifi (1942) a Bangor (1943). Yn Eisteddfod Bangor medalau a roddwyd i feirdd y bryddest a'r awdl. Ni chyhoeddwyd Eisteddfod Llandybïe 1944 yn orseddol, ond yn ystod wythnos yr eisteddfod ei hunan cafwyd dwy seremoni yn ôl y patrwm yn y cylch ac aed trwy ddefod coroni J. M. Edwards a chadeirio D. Lloyd Jenkins gyda'r rhwysg a arferid cyn y Rhyfel.

Wedi'r Rhyfel bu cryn gymoni ar y seremonïau yn cynnwys seremoni'r cyhoeddi, megis cael gan Haydn Morris gyfansoddi ym 1947 ffanffer arbennig i'r utgyrn ar gyfer y gwahanol rannau o'r seremonïau; sicrhau ym 1954 ddau utgorn newydd, rhodd o Gronfa Goffa Sieffre o Gyfarthfa; dechrau yr un flwyddyn lwyfannu'r ddawns flodau fel rhan o ddefod y cadeirio ac yn ddiweddarach o'r coroni a chychwyn cynnal defod croesawu'r dirprwywyr Celtaidd adeg y coroni hefyd; ychwanegu 'Ffurf o Goffâd' a gyfansoddwyd gan Wil Ifan ym 1968 ac a ddefnyddir yn sesiwn bore Mawrth; cynyddu ym 1971 nifer y disteiniaid i gadw trefn ar y gorymdeithiau, a Tilsli yr un flwyddyn yn llunio emyn coffa newydd.

Cymdeithas neu frawdoliaeth o'r rhai sydd yn bennaf yn ymhél â'r celfyddydau yn greadigol yw Gorsedd y Beirdd. Mae'r aelodaeth ar hyn o bryd dros 1,400, ond mae hefyd yn gyfyngedig. Urddir yn Ofydd trwy arholiad neu gymeradwyaeth, yn Fardd drwy arholiad, naill ai wedi'i threfnu gan yr Orsedd neu gan ryw gorff cydnabyddedig arall, ac urddir yn Dderwydd drwy gymeradwyaeth yn unig. Adnabyddir pob aelod wrth enw barddol yng ngorsedd.

Y Cofiadur, yn amser Eifionydd, a drefnai arholiadau'r Orsedd, ond

44. Yn Eisteddfod Genedlaethol Pen-y-bont ar Ogwr 1948 coronwyd Euros gan yr Archdderwydd Wil Ifan. Yn eistedd ar y chwith y mae Rhydwen Williams, Bardd Coron Aberpennar 1946. Gweler gyferbyn ar dud. 71.

43. Swyddogion Gorsedd y Beirdd 1950. *Rhes flaen* (o'r chwith): Wil Ifan, Cyn-archdderwydd; Crwys, Dirprwy-archdderwydd; Cynan, Archdderwydd; Meurig Prysor, Derwydd Gweinyddol; Elfed, Cyn-archdderwydd; *rhes gefn* (o'r chwith): R. W. Jones *(Erfyl Fychan)*, Arwyddfardd; Brynallt Williams, Trefnydd yr Arholiadau; Mrs Coombe-Tennant *(Mam o Nedd)*, Meistres y Gwisgoedd; W. S. Gwynn Williams *(Gwyn o'r Llan)*, Trefnydd Cerdd; ac Edgar Phillips *(Trefin)*, Ceidwad y Cledd.

45. Cynan yng ngorsedd
Padstow, Cernyw, 1951. Ar y dde
iddo mae R. Morton Nance
(Mordon), Bardd Mawr Cernyw.

46. Dyfnallt, Archdderwydd
Cymru 1954–7.

47. Cyd-orsedd yn Merry Maidens, Cernyw, 1971, pryd y gwnaed cytundeb newydd rhwng y tair Gorsedd a elwir Cytundeb Bae Caerlyon. O'r dde i'r chwith: John Chesterfield *(Gwas Costentyn)*, Ceidwad y Cledd; Y Bardd Mawr Trevanyon, 1970–76; Yr Archdderwydd Tilsli, 1969–72; Per Loazel *(Eostig Sarzhaw; 1915–80)*, Derwydd Mawr Llydaw, a Gwyndaf.

48. Sgrôl Cyhoeddi Gorsedd ac Eisteddfod.

wedi'i farw ef crëwyd swydd newydd, ac ymddiriedwyd y trefnu i'r Beili Glas. Ym 1948 trosglwyddwyd y gwaith trefnu i Brynallt, ym 1960 i Erfyl Fychan, ym 1966 i Alun Ogwen ac ym 1968 i Huw Tegai. Pwyllgor yr Arholiadau sy'n pennu'r meysydd llafur. Buwyd yn arholi ymgeiswyr am urddau yn y gwahanol gelfyddydau dros y blynyddoedd, ond ym 1969 y dechreuwyd trefnu profion ymarferol i delynorion a datgeiniaid fel rhan o'r arholiad Cerdd Ofydd.

Yn y pumdegau cytunodd Gorsedd y Beirdd i dderbyn bod yn ymgorfforedig yn yr Eisteddfod Genedlaethol ar amodau arbennig, ond deil i weithredu'n annibynnol ar y Cyngor mewn materion yn ymwneud â threfnu arholiadau, dewis personau teilwng i'w hurddo, cynnal y gorseddau cyhoeddi ac urddo a'r sermonïau coroni a chadeirio ynghyd â chadw'r cysylltiadau â'r gwyliau Celtaidd, megis y Mod yn yr Alban, yr Oireachtas yn Iwerddon, Yn Chruinnaght yn Ynys Manaw ac â Gorseddau Llydaw a Chernyw, gan ddiogelu delwedd draddodiadol Geltaidd ein gŵyl. Bydd y Bwrdd yn dwyn adroddiad o weithgareddau'r Orsedd i gyfarfod blynyddol o'r holl aelodau ac i Lys yr Eisteddfod.

Rheolir yr Orsedd gan Fwrdd yr Orsedd o dan gadeiryddiaeth yr Archdderwydd, llywydd y gorseddau, a etholir bob tair blynedd. Bu'r prifeirdd canlynol yn llenwi'r swydd er y Rhyfel: Wil Ifan (1947), Cynan (1950), Dyfnallt (1954), William Morris (1957), Trefin (1960), Cynan (1964), Gwyndaf (1967), Tilsli (1969), Brinli (1973), Bryn (1975), Geraint (1978), Siams Nicolas (1981), Elerydd (1984), Emrys (1987), Ap Llysor (1990). Mae i'r Bwrdd naw swyddog arall, sef y Cofiadur (ysgrifennydd Pwyllgor yr Urddau a'r Bwrdd), yr Arwyddfardd (trefnydd y gorymdeithiau a'r cynulliadau gorseddol a gofalwr y regalia), Meistres y Gwisgoedd, Trefnydd yr Arholiadau, y Derwydd Gweinyddol, Ceidwad y Cledd, y Trefnydd Cerdd, y Cyfreithiwr a'r Pensaer.

Heblaw'r rhai a enwyd eisoes bu'r rhai canlynol yn gofiaduron: Erfyl Fychan (adeg archdderwyddiaeth gyntaf Cynan), Ab Eos (adeg ail archdderwyddiaeth Cynan), Gwyndaf (1970–79), Siams Nicolas (1979) ac Alun Tegryn (adeg archdderwyddiaeth Siams). Dilynwyd Erfyl Fychan i swydd Arwyddfardd ym 1966 gan Dilwyn Cemais, a phenodwyd Telynores Rhondda i swydd Meistres y Gwisgoedd ym 1953, Cerddores Moelfre ym 1959, Menna am gyfnod byr ym 1978, a Siân Aman ym 1985. Etholir i'r swyddi hyn neu fe a006-ailetholir bob tair blynedd yn ôl y galw.

Yn ystod yr hanner canrif diwethaf cyflawnwyd dyletswyddau'r Derwydd Gweinyddol yn eu tro gan Meurig Prysor, Morgan Watcyn, Tybïefab, Emyr Feddyg a W. Rhys Nicholas, Ceidwad y Cledd gan Watcyn Evans, Emyr Cyfeiliog, Trefin, Dilwyn Cemais, Gwyn Tre-garth a Delme Bro Myrddin. Bu Gwynn o'r Llan, Peleg a Gwyn Tre-garth yn drefnyddion cerdd a chafwyd gwasanaeth Llysor, Brinli a Robyn Llŷn

49. Agor gorsedd; gweinio'r cleddyf mawr a chyhoeddi 'Heddwch'. Ar y Maen Llog gwelir yr Archdderwydd Geraint, y Cyn-archdderwyddon, Brinli, 1972–5, Gwyndaf, a Bryn, 1975–8 ynghyd â Gwyn Tre-garth, Ceidwad y Cledd.

50. Miss Ann M. Weeks (Cerddores Moelfre), Meistres y Gwisgoedd er 1956 yn dilyn Mrs Maude Thomas (Telynores Rhondda) yn croesawu Mary Hopkin yng Ngorsedd Eisteddfod Genedlaethol Rhydaman 1970.

51. Y ddawns flodau ar lwyfan
yn Eisteddfod Genedlaethol
Caerdydd 1978.

52. Y Gorseddogion wedi
ymgynnull ar lwyfan Eisteddfod
Genedlaethol Caernarfon 1979.

53. Cadeirio Donald Evans yn Eisteddfod Genedlaethol Dyffryn Lliw, 1980.

54. Yr Archdderwydd Etholedig Emrys Deudraeth yn cael ei gyrchu i'r Maen Llog gan Siân Aman, Meistres y Gwisgoedd, a'r ddau Gyflwynfardd, Dafydd Rowlands a W. R. P. George (Ap Llysor) i'w orseddu'n Archdderwydd yng ngorsedd cyhoeddi 1987. Etholwyd Ap Llysor yn Archdderwydd i ddilyn Emrys Deudraeth ym 1989.

yn gyfreithwyr, a Llywelyn Fadog ac Ifan Eryri yn benseiri, hwynt oll yn wŷr amryddawn.

Ni ellir prisio ymroddiad gwirfoddol swyddogion y Bwrdd a chyfraniad cymwynaswyr eraill megis yr utganwyr a'r disteiniaid, hyfforddwyr plant y ddawns flodau a chyflwynwyr y Flodeuged a'r Corn Hirlas a charedigion lleol eraill, ynghyd â chydweithrediad swyddogion yr Eisteddfod i gywreinio ac urddasoli pasiant yr Orsedd. Ond heb ffyddlondeb cyson a theyrngarwch gorfoleddus yr aelod cyffredin i'r gorseddau, ac i ddefod y coroni a'r cadeirio, ni fyddai'r Orsedd fyth wedi llwyddo i ennill llygad a chalon gwerin Cymru. Nid pasiant i'r ychydig ddetholedig i'w llwyfannu yw pasiant Gorsedd y Beirdd, ond rhywbeth y gall pob aelod gymryd rhan ynddi. Trwy gyfrannu iddi a chyfranogi ohoni deuir i ymdeimlo i'r byw â hynafiaeth ein traddodiad barddol a gorfoleddu ym mharhad ein hiaith a'n diwylliant a'r un pryd drosglwyddo i weddill y genedl yr un ymdeimlad a gorfoledd.

55. Swyddogion yr Orsedd yn niwedd yr wythdegau. *Rhes flaen* (o'r chwith): Emyr Wyn; Tilsli; Elerydd; Emrys Deudraeth; Siams Nicolas; Geraint; *rhes gefn* (o'r chwith): Huw Tegai, Trefnydd yr Arholiadau; Gwyn Tre-garth; Dilwyn Cemais; Siân Aman, Meistres y Gwisgoedd; Delme Bro Myrddin, Ceidwad y Cledd; Robyn Llŷn, Cyfreithiwr yr Orsedd; Ifan Eryri, Pensaer yr Orsedd, a Huw Tomos, Ysgrifennydd Aelodaeth. Hefyd ar y chwith eithaf mae Dr John M. Hughes, Cadeirydd Pwyllgor Gwaith Eisteddfod Casnewydd.

Mynegai